D1487207

Ma vie après ta mort

À Julien,
et à tous ceux qui, comme toi,
n'ont pas trouvé la force
de continuer... ici!

À Josée, ta mère
pour son courage
et son amour pour toi,
grand comme la mer!

© Ma vie après ta mort
Tous droits réservés
ISBN 2-9807446-1-1
Dépôt légal : quatrième trimestre 2005
Bibliothèque nationale du Québec
Bibliothèque nationale du Canada
Première édition

Graphisme et infographie : Christian Morency
Photographie page couverture : Georges Dutil
Révision : Patricia Bedwani

Marjolaine Caron, éditeur
Site Internet : www.marjolainecaron.com

Diffusion Raffin
29, rue Royal
Le Gardeur (Québec)
J5Z 4Z3
Téléphone : (450) 585-9909

Marjolaine Caron

Ma vie après ta mort

Du même auteur

Ton Ange est Lumière
Publication : 1995
Distribué par : Diffusion Raffin

Je vous donne Signe de Vie
Publication : 2002
Distribué par : Diffusion Raffin

Le Petit Livre de Joshua
Publication : 2004
Les Éditions du Roseau

Mes remerciements

D'abord merci à vous tous chers lecteurs et chères lectrices qui me lisez fidèlement et qui en redemandez!

Depuis la publication de mon dernier ouvrage *Le Petit Livre de Joshua*, il est arrivé à plusieurs reprises que l'un d'entre vous me demande : « À quand le prochain? » Une semence a enfin pris racine dans le jardin de mon esprit et en voici les récoltes. Ce livre m'a été inspiré en grande partie par votre soif d'avancer, de guérir et d'évoluer.

Ma gratitude envers tous ceux qui ont participé à la réalisation de ce livre est immense.

Merci à

Lise Brault, mon assistante, pour ta fidèle présence, ta patience et ta dévotion depuis plus de cinq ans.

Sylvie Petitpas, ma grande amie et thérapeute, pour ton soutien psychologique et énergétique dans le grand dénouement qui m'a propulsée dans cette nouvelle aventure. Et surtout pour ton amour inconditionnel et ta grande compréhension des âmes.

Patricia Bedwani, pour la révision et la correction du texte ainsi que pour ta présence lumineuse dans la vie de mon fils et dans notre famille! Merci à l'enfant que tu portes et qui illumine déjà notre vie!

Georges Dutil, le photographe qui saisit l'image de l'âme au-delà de la personne! Merci pour ta créativité et ta lumière venant droit du cœur.

Christian Morency, le graphiste qui a précieusement travaillé la conception de la page couverture et le montage de ce livre. Merci pour ta sensibilité et ton respect sans bornes.

Luc Lapointe, mon compagnon de vie pour avoir insisté depuis dix ans à ce que je publie ce livre sous forme de témoignages vivants. Merci pour me faire toute cette place que je prends en période d'écriture et pour savoir m'apaiser dans les moments de doutes et d'impatience.

Marie-Josée Roy, recherchiste à l'émission *Faut voir Claire*, pour ta lumière, ta foi et ton ouverture. Tu es un ange!

Claire Lamarche pour me faire une place sur cette tribune, me permettant ainsi de diffuser ce message à des centaines de milliers de personnes. Merci pour le respect et l'ouverture avec lesquels vous m'accueillez et traitez ce sujet.

Alexandre et **Charles-André**, mes fils… pour votre amour de la vie et votre joie de vivre! C'est l'énergie qui me soutient le plus! Que Dieu vous bénisse!

Prologue

À l'âge de 33 ans seulement, j'avais déjà cinq personnes très chères à mon cœur qui avaient traversé le pont vers l'autre rive. Celle que je ne connaissais pas, celle qui demeure encore un grand mystère pour la plupart d'entre nous. Ils étaient tous partis sans un mot, sans un adieu! Deux de mes frères sont morts dans des accidents ; ma mère et mon père ont été emportés par le cancer ; mon meilleur ami a aussi trouvé la mort dans un accident de voiture.

Je me suis longtemps demandé pourquoi la mort était si présente dans ma vie et malgré ses visites régulières, je n'arrivais pas à la comprendre, à la connaître et encore moins à l'accepter. J'empilais mes blessures ne sachant pas comment faire pour vivre tous ces deuils. Le sujet en soi a toujours été tabou. Le seul mot fait peur, il repousse, il terrorise! Dans le silence et l'isolement, j'ai vécu pendant toutes ces années en "mode de survie", prisonnière de la peur, de la colère et de l'ignorance!

Un beau jour, alors que je traversais un passage très sombre de ma vie, ils sont venus faire la lumière. Comme *Le Petit Prince* de St-Exupéry, ils m'ont dit : « Tu auras de la peine, j'aurai l'air d'être mort et ce ne sera pas vrai… ». Ils sont venus me dire qu'ils étaient là, bien vivants et que leur amour ne m'avait jamais quittée!

Par le biais de l'écriture, ils m'ont donné signe de vie afin de m'aider à renaître, au-delà de survivre à leur départ physique. Ce jour-là, ma vie a basculé et mon âme a refait surface.

Je suis sortie de l'ignorance et j'ai suivi cette voie de guéri-son pour moi, pour ensuite tendre la main aux autres afin qu'ensemble nous puissions avancer dans notre chemin de vie!

Ma foi, elle est innée. Je suis née avec elle et elle ne m'a jamais quittée! Bien sûr, par moments, il arrive qu'elle se cache derrière mes peurs et mon ego pour me remettre en doute… mais je la retrouve toujours. Je crois qu'elle a été la première vertu que j'ai mise dans mon bagage pour cette mission terrestre.

Il est tout de même dommage que, lorsque j'étais toute petite, le mot *foi* ne rimait qu'avec *religion*. J'aurais aimé qu'on m'enseigne la foi en la Vie et en Moi! J'aurais voulu qu'on m'enseigne la confiance en un Dieu d'amour qui ne juge ni ne punit, mais qui, au contraire, vit toujours au cœur de mon être quoiqu'il arrive. J'aurais voulu connaître un Dieu qui ne vient pas chercher les enfants et les mamans comme un voleur, mais qui s'occupe plutôt de les recevoir lorsqu'ils arrivent dans la Lumière.

La vie elle-même s'est chargée de me donner ces enseigne-ments et de m'amener à découvrir cette divinité en moi et en tous les êtres vivants de l'univers. C'est au fond des ténèbres que j'ai vu Sa lumière, que j'ai accueilli Son amour et que j'ai choisi de Le répandre. Donnez-lui le nom que vous aimez, celui qui résonne juste à votre oreille et à votre cœur. Je l'appelle Amour, parfois Mon Âme, Ma Lumière, Mon Ange Gardien, Dieu, Bouddha… c'est en fait pour moi une seule et même énergie, celle de l'amour inconditionnel! cet amour qui crée tout!

Depuis treize ans, je mets à la disposition des défunts et des personnes en deuil mon canal d'écriture. Messagère au service de la Lumière, je tisse des liens entre "l'au-d'ici" et l'au-delà, des ponts sur lesquels se vivent de merveilleuses rencontres et de grandes guérisons d'âme à âme.

Si je vous écris ce prologue, ce n'est pas par besoin de raconter une fois de plus mon histoire personnelle... car Dieu sait si je l'ai racontée depuis 15 ans! Je vous la raconte simplement pour créer entre nous cette complicité qui nous permettra de partager nos craintes, nos souffrances, mais surtout nos guérisons.

Ma prière pour ce livre, s'adresse à la Mère Divine, nourrice spirituelle de tous les enfants de la Terre. Je dépose entre Ses mains le souhait que ce livre puisse apporter une lumière à nos enfants qui désespèrent et se suicident.

Mon offrande s'adresse à tous les parents qui ont perdu un enfant : l'épreuve ultime de la vie. Ma compassion, mon amour et ma lumière vous accompagnent.

Ma gratitude s'adresse à tous ceux et celles qui m'ont permis de raconter leur histoire dans ces récits. La blessure pour certains est encore bien vive et je sais à quel point votre partage contribuera à votre propre guérison et à celle d'autres personnes qui souffrent comme vous! Merci à tous de vous unir à moi pour transmettre l'espoir à tous ceux qui souhaitent renaître et créer cette chaîne d'amour pur et inconditionnel qui, je l'espère, s'étendra à l'infini.

Introduction

Ma vie après ta mort est un titre qui nous pose la question… Est-ce qu'il me reste une vie après ta mort? Reste-t-il une vie pour toi, ailleurs? une vie pour moi, ici? Existe-t-il une vie à travers laquelle nous pourrions maintenir la continuité de notre amour et plus encore, le faire grandir, le polir, le transformer en amour inconditionnel?

La foi, l'espérance et la charité sont des vertus qui ne sont pas très "tendance" dans notre société moderne! Ce sont des mots qui ont une résonance sortant du *Petit catéchisme* et ils font de moins en moins partie de notre vocabulaire et de nos valeurs.

Nous les avons remplacés par le pouvoir, la performance et l'individualisme : trois poisons destructeurs qui s'attaquent aussi férocement qu'atrocement à nos jeunes. Ces jeunes qui s'engouffrent dans la dépression pour glisser lentement, mais sûrement, dans le tunnel noir de la perte d'estime d'eux-mêmes. Et je ne fais pas uniquement référence aux jeunes. Cela nous concerne tous, car nombreux sont ceux qui ont perdu la foi en eux-mêmes, en l'amour et en la vie! Notre société sombre dans le désespoir, l'antithèse de l'espérance. Tristement, nos enfants se détruisent en empruntant les chemins souffrants des drogues, de l'alcool et de la prostitution. C'est qu'ils ont perdu le sens de la charité, c'est à dire « être bon envers soi-même et envers les autres. »

J'attire votre attention sur les jeunes, car je suis très sensible au fléau du suicide dans notre société. Je reçois chaque semaine des parents qui viennent prendre des nouvelles de leurs enfants suicidés. Ça me trouble et ça m'interpelle à la fois.

La mort d'un être cher engendre d'elle-même une vie nouvelle, un regard nouveau sur le monde et sur le sens de notre incarnation. Elle nous plaque sa lampe aveuglante droit dans les yeux et tel l'enquêteur, elle crie… « PARLE ». C'est une voix qui veut entendre la vérité, qui nous déchire le cœur et qui, par conséquent, déchire aussi le voile de l'ignorance, celui qui nous empêche de voir avec les yeux du cœur et d'entendre la petite voix de notre âme. Lorsque l'on perd un être cher, notre coquille se brise et c'est là que la vie s'éveille en nous.

Si j'ai choisi de vous livrer ces témoignages, c'est dans le but de vous amener à vous ouvrir aux signes de l'au-delà et surtout, à votre propre guérison. Il est possible qu'en lisant ces récits, vous ayez l'idée de me contacter afin d'obtenir un rendez-vous. Chères lectrices, chers lecteurs, n'en faites rien. Je ne peux malheureusement plus répondre à la demande cas par cas. Mon choix s'oriente dorénavant vers l'écriture et les enseignements.

Mon chemin de vie me mène vers une pratique différente pour venir en aide au plus grand nombre de gens possible. Pour ma propre évolution, je choisis de suivre la route qui m'est tracée en prenant soin de ma santé tant physique qu'émotionnelle. Accompagner des personnes en deuil est une mission qui demande une grande force morale. Dieu m'en a fait cadeau et je prends soin de la préserver, de ne pas l'épuiser.

Tout au long de cette lecture, je vous invite donc à ouvrir votre esprit et à reconnaître les messages qui vous sont destinés. Ils sont là pour vous ; n'en doutez pas! Par le biais de ce récit, dès lors que vous entreprendrez cette lecture, une rose blanche sera déposée sur votre âme endeuillée. La rose blanche symbolise la pureté et la grandeur de votre âme. Elle représente l'énergie de guérison que vous possédez en vous! Accueillez ce pouvoir et remerciez!

Bonne lecture!
Marjolaine Caron

Première Partie

Chapitre 1

Une belle histoire d'amour

Toutes les histoires dont j'ai été le témoin privilégié au cours de ces années sont importantes à mes yeux. Je suis particulièrement sensible au détachement que vivent deux âmes sœurs, lorsque l'une d'elles est rappelée de l'autre côté de la vie.

Idèle et André ont connu le bonheur d'une vie de couple durant 30 ans. La mort d'André s'est vécue à l'image de leur vie ensemble… dans un accompagnement d'amour, de respect et de confiance!

J'ai eu le bonheur d'assister à leurs retrouvailles, le jour où Idèle est venue me rencontrer pour communiquer avec son cher mari. Quelques mois plus tard, alors que je m'apprêtais à écrire ce livre, j'ai reçu une magnifique lettre d'Idèle, une lettre remplie d'amour et de gratitude qui m'a profondément touchée.

Je lui ai donc téléphoné pour lui faire part de mon projet d'écriture et lui demander si elle aimerait en faire partie et nous partager cette rencontre céleste qu'elle avait vécue avec l'âme d'André! Dans sa grande générosité et son sens du partage, Idèle n'a pas hésité un instant!

Quelques jours plus tard, j'ai reçu cette lettre qu'elle m'adresse et qu'elle me permet de partager avec vous :

« Bonjour Marjolaine,

C'est un bonheur pour André et moi d'avoir une petite place dans ton livre. Lors de notre rencontre, le 17 mai dernier, la première chose que vous m'avez dite Marjolaine, c'était que mon chum me faisait un beau clin d'œil! Je l'ai tout de suite reconnu, puisque lorsque nous nous donnions rendez-vous, que ce soit après son travail ou après le mien, dès que nos regards se croisaient, il m'adressait son plus beau clin d'œil! Et de mon côté je lui retournais un sourire, celui qu'il attendait avec ardeur.

Mon cœur a fait un autre bond lorsque vous m'avez lu la première phrase de son message : "À ma femme, une perle! Chère Idèle, comme ton nom, tu es une perle rare!" Ouf... là, l'émotion a été forte. André disait à qui voulait l'entendre :

- J'ai une perle entre les mains, une perle rare, à part ça!

Une autre phrase qu'il disait souvent et qu'il citait mot à mot dans la lettre : "Si c'était à refaire, je te remarierais demain matin!" Dès lors, j'avais bien compris qu'André était là avec moi, son âme parlait!

Mais il n'avait pas fini de me faire sursauter. Là, je pense qu'André a voulu nous en mettre plein la vue en faisant comme dans le film Mon fantôme d'amour, *ce film qu'il aimait tant. À ce moment-là de la rencontre, Marjolaine, vous m'avez demandé :*

- *Idèle, est-ce que vous aimez les marguerites?*
- *Oui, mais pourquoi me posez-vous cette question-là? demandai-je intriguée.*
- *C'est parce que je vois André qui tient pour vous un bouquet de marguerites dans ses mains!*

Il faut connaître le contexte pour comprendre l'histoire des marguerites. Lui et moi sommes les seuls à la connaître. Laissez-moi vous raconter...

À chaque printemps, sachant que la tâche était trop difficile pour moi et voulant me rendre service, André retournait la terre de notre jardin et enlevait les mauvaises herbes. En fait, André faisait toujours tout par amour; ses compagnons de travail pourraient vous en témoigner. Heureux de m'avoir aidée, il avait toujours hâte de me faire la surprise et de me montrer ce qu'il avait fait pour moi. Alors, j'arrivais devant mon jardin et surprise, en effet, je demandais :

- *Oh... mais où sont passées mes marguerites?*
- *Oh, excuse-moi chérie, me répondait-il, on ira en acheter d'autres l'année prochaine... je pensais que c'était du chiendent!*

Chaque printemps, je devais renouveler mes plants! C'était en quelque sorte notre histoire complice et personnelle. Il ne pouvait choisir un signe plus significatif pour faire son entrée !

André était reconnu pour son énergie positive et son amour de la vie. Pourtant, il a dû subir quatre cancers. Il en a vaincu trois, mais le dernier est venu à bout de lui. Au cours de toutes ses visites à l'hôpital, tout le personnel l'appelait son rayon de soleil! Tout au long de sa bataille, il n'a jamais baissé les bras et pour cela, je le remercie, car ce fut tellement plus facile pour moi de l'accompagner. Malgré ma grande volonté de vouloir bien l'accompagner, je suis restée avec ce sentiment de ne pas en avoir fait assez!

J'ai passé les dernières heures à prier et à lui dire que, oui, il pouvait partir. Je ne voulais pas le garder égoïstement pour moi. J'avais tout simplement compris que son âme voulait vivre, mais que son corps, lui, n'en pouvait plus. Combien de fois, il nous a dit : « Si j'ai à passer au travers, je vais passer au travers… sinon il nous faudra tous accepter! »

Puis les derniers moments sont arrivés. Inconscient, il éprouvait une terrible difficulté à respirer. Tout au long de sa maladie, je lui ai fait des traitements de réflexologie, je me suis occupée de lui du mieux que j'ai pu avec tout l'amour que j'ai pour lui. Aux derniers instants, je ne voulais même plus le toucher. Je voulais le laisser s'élever tout seul vers la lumière, sans le retenir.

Sept jours avant de mourir, il a dit à ma mère : « Vous savez madame Verret, je ne mourrai pas, je vais tout simplement passer dans une autre dimension ». Et là, il faisait un geste de sa main droite sur deux hauteurs différentes, en fendant l'air. Maman lui avait apporté ce matin là, un petit ange à fibres optiques pour lui dire qu'il ne serait jamais seul.

Lorsqu'il a rendu son dernier souffle, je me suis approchée de lui et j'ai déposé sur son front un tendre baiser, pour lui dire combien je l'aimais. Je tiens à vous dire, que peu importe la décision ou le geste que l'on pose, c'est toujours le bon si nous écoutons notre petite voix intérieure. Je remercie l'Univers de nous avoir permis de cheminer ensemble pendant 30 ans de vie heureuse, incluant ces seize mois de bataille contre le cancer. Les dernières paroles d'André à sa mère furent : « Maman vous savez, j'ai été un gars chanceux! J'ai pu dire adieu à tous mes frères et sœurs, à mes enfants, à ma femme et à mes petits-enfants! J'ai pu leur dire combien je les aime... c'est tellement important! Bien des gens n'ont pas cette opportunité! Et de plus, maman, je pourrai dire que je l'ai eu ma terre à bois! » Il faisait référence au Domaine Angélique comme nous l'avions baptisé, car chaque fois que nous nous y retrouvions, nous sentions tellement de paix et d'amour.

Ce n'est pas toujours facile, j'avoue! Mais Dieu merci, il y a les paroles d'enfants qui sont toujours si pures et si réconfortantes. L'autre jour, j'allais border ma petite-fille de cinq ans et elle me demande de son ton le plus candide :

- *Grand-mère, on a le droit de pleurer si on s'ennuie trop de grand-père, hein?*
- *Bien sûr, ma petite... bien sûr! lui répondis-je.*

Je souhaite maintenant partager avec vous tous, chers lecteurs et chères lectrices, quelques passages précieux du message de mon bien-aimé, en espérant que vous puissiez y trouver une lueur d'espoir et un baume sur votre âme endeuillée.

André écrit dans ce merveilleux message :

"J'ai honoré la vie de mon corps physique jusqu'au bout. J'ai prié, j'ai médité, j'ai même négocié avec Dieu pour prolonger mon passage sur Terre, parce que je voulais poursuivre ma route avec vous autres : ma fille, mon fils et nos trois petites-filles chéries. J'aurai comme toi, aimé vieillir en me berçant au bord du lac, à notre retraite. Je sais que c'est le deuil de tout ce bout manquant que nous devons faire toi et moi. Et je suis avec toi pour le faire, ma belle.

Ne t'inquiète pas, tu vas guérir. Je sais qu'en ce moment tu te demandes si un jour tu pourras arrêter de me pleurer, de nous pleurer. Tu te demandes aussi si tu retrouveras un sens à ta vie et si pourras récupérer ta si belle joie de vivre. Idèle, écoute-moi, tu n'as rien à te reprocher. Tu m'as aidé à traverser et j'ai bien reçu ton baiser sur mon front en signe de ton amour inconditionnel. D'ailleurs, c'est par le chakra du troisième œil que mon âme a trouvé la sortie.

C'est tellement beau, Idèle, la fusion avec la Lumière ; ça ne s'explique pas dans des mots. C'est comme rentrer « chez soi » après une bonne journée de travail! J'ai revu le film de ma vie et de beaucoup d'autres à la vitesse de la lumière. C'est difficile ça aussi à expliquer. On voyage dans le temps et l'espace. On voit tout ce qu'on a posé comme gestes, comme actions pour contribuer à un monde meilleur et on s'aperçoit que tout ce temps-là, on était le Créateur parfait de notre vie. On se crée tout, Idèle : le positif comme le négatif. Le cancer, c'est l'accumulation de nos refoulements, de nos peurs et de notre ignorance. La culpabilité est un grand poison pour le corps, pour l'âme et pour l'esprit. S'accueillir dans son humanité, c'est le grand pas à franchir vers Soi. Un jour, les humains comprendront que ce n'est pas nécessaire de mourir pour aller au ciel!"

À travers les multiples accompagnements que j'ai faits jusqu'ici, j'ai observé souvent dans le cas des détachements entre deux âmes sœurs que celui ou celle qui reste est invité à sortir de l'ombre de l'autre!

Dans son message à Idèle, André lui demande de ne pas se fondre dans son énergie et de poursuivre sa route en étant elle-même. J'ai souvent entendu cette réflexion d'un conjoint ou d'une conjointe en deuil : « Je ne sais plus où aller, quoi faire, je ne sais pas qui je suis, je ne vivais que pour lui, que vaut ma vie maintenant? Je lui demande tous les jours de venir me chercher. »

À tous ceux et celles qui vivent un deuil et qui alimentent cette forme de pensée, je vous prie de lire attentivement le message qui suit. Je me permets de vous transmettre deux versions d'une lettre, au nom de celle ou de celui qui a quitté la Terre et, par conséquent, votre vie affective.

Mon bel amour,

Je me suis glissée dans ce livre pour venir te dire de ne pas lâcher, que je suis avec toi et très fière de toi! Je sais que tu aurais préféré un message plus direct et plus personnel, mais je t'en prie, reçois celui-ci juste pour toi, pour t'aider à continuer sans moi!

Tout au long de notre vie ensemble, tu m'as donné tout ce que tu avais. Tu m'as aimée plus que toi-même, tu t'es oublié pour moi, tu t'es privé pour moi, tu n'as vécu que pour moi. Et tu trouves encore le moyen de te demander si tu en as fait assez! Le moyen de te torturer à l'idée que tu aurais peut-être même pu me sauver! Je t'en prie, ne sois pas si dur envers toi-même. Aime-toi autant que tu m'as aimée… admire-toi autant que tu m'as admirée… et TA vie va commencer! On ne peut pas vivre la vie des autres ou pour les autres. La mort me l'a appris.

On arrive sur la Terre, seul, sans bagage.
Léger et pur, on rentre « chez Soi » par le passage de la mort.
Notre unique bagage, on le porte en notre cœur…
C'est l'amour qu'on a semé et qui continue de grandir dans le cœur de ceux qui sont restés derrière nous.
Nous récoltons de vie en vie ce que nous avons semé.
C'est la Loi spirituelle du karma!
Nourris-toi de mon amour pour toi et ne t'inquiète plus pour moi!
Mon âme est en Paix dans la Lumière.

J'ai confiance en toi, en ta volonté de vivre et d'être heureux.

*C'est le plus beau cadeau que tu peux m'offrir,
cher amour.*

*Tu m'as toujours mise très haut sur un piédestal
et plus haut encore depuis que je suis partie.*

*Pourtant, tu étais la force, la confiance et le courage
derrière moi.*

Tu es tellement plus grand que tu crois.

Je n'ai pas toujours su voir et apprécier tout ce que tu es!

Je te demande pardon.

*Je ne t'ai pas toujours fait confiance et je faisais souvent
les choses à ta place.*

*Aujourd'hui tu te sens handicapé, impuissant et perdu
devant TA vie après ma mort!*

*Ce n'est pas par hasard que ce livre et cette lettre se
trouvent entre tes mains!*

*Tu peux choisir de ne pas y croire, mais tu ne feras que
prendre un plus grand détour sur le chemin de ta
guérison. Et si jamais tu choisis d'y croire et que tu veux
t'engager dans cette voie de libération, je te demande de
m'écrire à ton tour, simplement pour me dire ce que tu
comptes faire de ta vie! simplement pour me faire tes
adieux dans la paix et l'acceptation.*

*Je n'ai pas le pouvoir de venir te chercher, comme je n'ai
pas le pouvoir de te rendre heureux, pas plus que je
l'avais sur la Terre. On n'est pas heureux aux dépens des
autres, mon ange... on est heureux vraiment lorsqu'on
est libre de toute attache!*

*Je t'ai aimé, pas toujours de la bonne façon, mais du
mieux que j'ai pu!*

Je t'aime aujourd'hui inconditionnellement! Et je t'aimerai pour l'éternité!

Nous ferons d'autres beaux voyages ensemble. Pourquoi se presser, nous sommes au cœur de l'éternité!

Je te bénis!
Ton âme sœur xxx

∽

À toi, la femme de ma vie,

Je me suis glissé dans ce livre pour venir te dire de ne pas lâcher, que je suis avec toi et très fier de toi! Je sais que tu aurais préféré un message plus direct et plus personnel, mais je t'en prie reçois celui-ci juste pour toi, pour t'aider à continuer sans moi!

Tout au long de notre vie ensemble, tu m'as donné tout ce que tu avais. Tu m'as aimé plus que toi-même, tu t'es oubliée pour moi, tu t'es privée pour moi, tu n'as vécu que pour moi.

Et tu trouves encore le moyen de te demander si tu en as fait assez! Le moyen de te torturer à l'idée que tu aurais peut-être même pu me sauver! Je t'en prie, ne sois pas si dure envers toi-même. Aime-toi autant que tu m'as aimé… admire-toi autant que tu m'as admiré…et TA vie va commencer! On ne peut pas vivre la vie des autres ou pour les autres. La mort me l'a appris.

On arrive sur la Terre, seul, sans bagage
Léger et pur, on rentre « chez Soi » par le passage de la mort.

Notre unique bagage, on le porte en notre cœur...
C'est l'amour qu'on a semé et qui continue de grandir
dans le cœur de ceux qui sont restés derrière nous.
Nous récoltons de vie en vie ce que nous avons semé.
C'est la Loi spirituelle du retour!
Nourris-toi de mon amour pour toi et ne t'inquiète plus
pour moi!
Mon âme est en Paix dans la Lumière.

J'ai confiance en toi, en ta volonté de vivre et d'être
heureuse.
C'est le plus beau cadeau que tu peux m'offrir cher
amour.
Tu m'as toujours mis très haut sur un piédestal et plus
haut encore depuis que je suis parti.
Pourtant, tu étais la force, la confiance et le courage
derrière moi.
Tu es tellement plus grande que tu crois.
Je n'ai pas toujours su voir et apprécier tout ce que tu es!
Je te demande pardon.
Je ne t'ai pas toujours fait confiance et je faisais souvent
les choses à ta place.
Aujourd'hui tu te sens handicapée, impuissante et
perdue devant TA vie après ma mort!

Ce n'est pas par hasard que ce livre et cette lettre se
trouvent entre tes mains!
Tu peux choisir de ne pas y croire, mais tu ne feras que
prendre un plus grand détour sur le chemin de ta guéri-
son. Et si jamais tu choisis d'y croire et que tu veux
t'engager dans cette voie de libération, je te demande de
m'écrire à ton tour, simplement pour me dire ce que tu

comptes faire de ta vie! simplement pour me faire tes adieux dans la paix et l'acceptation.

Je n'ai pas le pouvoir de venir te chercher, comme je n'ai pas le pouvoir de te rendre heureuse, pas plus que je l'avais sur la Terre. On n'est pas heureux aux dépens des autres mon ange... on est heureux vraiment lorsqu'on est libre de toute attache!

Je t'ai aimée, pas toujours de la bonne façon, mais du mieux que j'ai pu!
Je t'aime aujourd'hui inconditionnellement! Et je t'aimerai pour l'éternité!
Nous ferons d'autres beaux voyages ensemble. Pourquoi se presser, nous sommes au cœur de l'éternité!

Je te bénis!
Ton âme sœur xxx »

Si au cours de cette lecture, vous avez versé quelques larmes et ressenti votre coeur vibrer et s'élever, c'est que votre âme a reconnu la présence de l'âme sœur. Une grande paix et un profond soulagement devrait vous habiter dans les jours qui viennent. C'est que vous saurez qu'au-delà de la mort, il y a la toute puissance de l'énergie de l'amour qui est venue faire basculer votre âme par dessus l'ego, pour votre libération à tous les deux. Remerciez, tout simplement!

Par ailleurs, si ce message ne s'adresse pas à vous personnellement, recevez quand même les passages qui peuvent vous aider à mieux vivre et à mordre dans la vie, ici et maintenant. Faites le bilan de votre vie affective et demandez-vous si vous êtes une personne autonome ou dépendante dans vos relations amoureuses! Ce n'est pas nécessaire d'attendre qu'un des deux parte pour se libérer et vivre ensemble, libres!

Aussi, vous êtes peut-être appelé à servir de messager pour une personne que vous savez souffrante autour de vous et à qui ce message pourrait servir. Servir la Lumière, c'est tout simplement donner ce qu'on a reçu et faire tourner la roue de la solidarité. Dans la deuxième partie du livre *Je vous donne signe de vie* publié en mars 2002 (p.155), notre âme nous parle... voici ce qu'elle exprime à propos de la liberté.

La Liberté...

Plus nous serons près l'un de l'autre toi et Moi, plus tu sentiras monter en toi un goût de « liberté ». Libre de faire entendre ta voix, libre de partir ou de rester, de réaliser ce rêve que tu avais mis en oubli depuis tant d'années. Libre d'être et d'afficher ton identité. Libre d'expérimenter, de te tromper, de réussir! Libre dans l'Amour et l'estime de toi et des autres. Libéré de tout ce qui te retient dans le passé...

Reste près de Moi, car c'est pour ce seul but que Je Me Suis incarnée en toi... ÊTRE LIBRE!

Chapitre 2

Nicolas, notre champion!

Lorsque j'ai demandé à Élise et à Charles de témoigner de leur histoire dans ce livre, ils ont accepté sans hésiter. Élise m'a répondu : « Marjolaine, si ce témoignage peut aider d'autres parents à vivre ce passage douloureux et à en ressortir avec un brin d'espoir, de paix intérieure, nous sommes prêts à le faire. »

Voici donc intégralement le récit d'Élise :

« Nous sommes en décembre 2003. La vie est belle. Nous avons deux enfants que nous adorons, une fille qui vient tout juste d'avoir 11 ans et un garçon de huit ans. Tout est parfait. Nous sommes une famille unie. Notre cellule familiale est ce que nous chérissons le plus. Nous partageons d'heureux moments ensemble, nous voyageons, nous faisons du sport en famille, c'est merveilleux.

Durant la période des fêtes, nous skions tous les quatre. Ce matin-là, je rends grâce pour toute la richesse de ma vie et de mon bonheur de mère à pouvoir vivre tous ces beaux moments avec mes deux enfants et mon mari que j'adore.

Pourtant quelques heures plus tard, notre vie bascule : notre fils Nicolas fait une chute fatale. Tout s'assombrit, comme si un gros nuage noir venait se poser devant le soleil sur notre vie. C'est le cauchemar.

Je suis en état de choc devant mon petit garçon, mon bébé couché là, sur la neige, inconscient. On le transporte d'urgence à l'hôpital. Je me dis qu'il va de toutes évidences s'en sortir, c'est un battant notre Nico… il va trouver un moyen de vaincre le pire. Je ne peux pas y croire. Notre Nicolas va nous revenir, il va se réveiller!

Les pronostics ne sont pas très encourageants. Par ailleurs, les médecins tentent tout pour que son état s'améliore. Mon mari et moi essayons d'être forts l'un pour l'autre et surtout solides pour notre fille Katherine qui est troublée, complètement bouleversée par les événements.

Nous veillons sur lui sans relâche. Je lui parle, je sais qu'il m'entend même s'il n'a aucune réaction. J'essaie d'éveiller ses sens. Je porte mon parfum, celui qu'il aime. Je lui fais écouter de la musique, celle qu'il aime. Mais après plusieurs jours, on doit se rendre à l'évidence : son cerveau ne répond plus et pire encore, il ne répondra plus jamais. Le diagnostic nous assomme littéralement dès que les trois mots sont prononcés : "une mort cérébrale".

Nicolas est artificiellement maintenu en vie : il ne respire que par les appareils qui nous gardent dans l'illusion qu'il est encore vivant. Pourtant, nous savons que Nicolas n'a plus aucune chance de revenir à la vie. On doit cesser les traitements.

Cette horrible décision fut pour nous la plus difficile à prendre de notre vie. Décider pour des parents d'en finir avec l'acharnement thérapeutique pour leur enfant est probablement le choix le plus déchirant dans la vie d'un couple, d'une famille. Elle nous confronte à la dure réalité : notre fils va mourir. Notre Nico que nous adorons, tous les trois, nous quittera à jamais. Cet enfant qui a fait notre joie et notre bonheur partira, on ne sait trop où ni comment!

Son petit corps étendu là, inerte depuis 18 jours ne bougeait plus. Et ça, ce n'était pas notre fils. Lui qui était si actif, qui ne voulait jamais perdre une seconde de cette précieuse vie. Notre petit sportif, l'enfant enjoué et toujours de bonne humeur qui mordait dans la vie, était cloué là, sur ce lit, tirant toutes les larmes de mon corps.

Le 22 janvier 2004, Nicolas est mort dans mes bras. Dieu que c'est difficile! Je croyais m'être vidée de larmes pendant ces 18 jours d'agonie. Il me semblait que mon cœur était à sec… mais non, comme une fontaine inépuisable, j'ai pleuré, tellement pleuré.

Je me disais que notre vie était brisée à jamais. Comment faire pour continuer? À ce moment-là, je ne savais pas si un jour nous serions capables de rire à nouveau et

*d'avoir du plaisir. Le chagrin était tellement immense!
Tout mon corps me faisait mal. J'avais mal, nous avions
tous mal!*

*Les mois passent et le vide continue à se creuser, comme
un trou béant au fond de mon ventre et dans notre maison. Nous essayons tous les trois d'avancer et, du mieux
que nous pouvons, de vivre cette épreuve chacun à notre
rythme. Chacun de nous vit les étapes à sa façon ; nous
sommes tous les trois si différents.*

*L'automne arrive, j'ai peur. J'appréhende Noël, Noël qui
est la fête des enfants. J'aimerais m'endormir pour me
réveiller le 2 janvier. Mais je ne peux pas. Nous avons
notre fille Katherine, qui a tant besoin de nous. Elle est
notre rayon de soleil. Nous lui faisons bien comprendre
qu'elle a une place unique dans notre vie. Elle est notre
motivation ; pour elle, nous nous efforçons de guérir et
de retrouver une vie de famille heureuse.*

*En octobre 2004, j'entends sur les ondes de la radio un
témoignage d'une journaliste qui parle d'un livre qu'elle
a écrit suite à une rencontre avec une médium. Je me
procure le livre pour me rendre compte qu'un ami
m'avait déjà donné les coordonnées de cette dame au
mois d'août. À ce moment-là, je n'étais pas prête à vivre
cette expérience.*

*Ce rappel m'invitait à un rendez-vous avec Nicolas! Je
veux savoir si mon fils est bien, j'ai besoin de ce contact,
il me manque tellement! Mon mari fait les démarches
pour prendre contact avec la médium, car il sait com-*

bien je suis désespérée. Puisque Marjolaine donne une priorité aux parents qui ont perdu un enfant, nous avons pu profiter d'une annulation pour avoir un rendez-vous le 23 novembre.

Bien qu'un peu sceptique, Charles m'accompagne. Depuis le décès de Nicolas, nous avions eu plusieurs signes. Sa chanson préférée qui jouait à des moments très particuliers, très précis. Le sentiment d'une présence au-dessus de mon épaule et plein d'autres petites choses. Mais Charles avait besoin de plus que des "signes" pour être rassuré et croire en une vie après la mort.

Marjolaine nous accueille donc dans la salle d'attente et nous demande de patienter quelques minutes, le temps de se centrer et d'ouvrir son canal. Lorsqu'elle vient me chercher, elle s'adresse à mon mari en passant : « Charles, ton fils est déjà là, il a un petit message pour toi, il fait dire qu'il sera toujours ton champion ».

Mon mari a fait trois pas en arrière, s'est assis et a éclaté en sanglots. J'étais tellement contente pour lui, qu'il puisse avoir un signe clair de son fils. Nico ne pouvait trouver meilleur indice pour convaincre son père de sa présence... il l'appelait toujours son champion.

Ce contact avec notre fils fut si réconfortant. J'avais vraiment l'impression qu'il était là. Marjolaine me décrivait sa personnalité, son physique, avec ses beaux cheveux bouclés et son petit sourire moqueur. Mon fils me dit même :"Tu sais maman, je suis toujours bon en math, mais le français n'est toujours pas ma matière préférée".

Nicolas excellait en mathématiques. Par contre, en français c'était plus ardu pour lui. Notre fils nous a écrit chacun une lettre : une pour son père, une pour sa sœur et une pour moi. Il demande à Marjolaine d'écrire en lettres détachées plutôt qu'en lettres attachées. Mon fils détestait écrire en lettres attachées, c'était trop long pour lui.

Il commença par la lettre à son père en lui disant : "Tu sais papa, c'est pas grave si t'étais pas à côté de moi, car je n'étais plus dans mon corps, j'étais avec les anges". Mon mari n'était pas là au moment de l'accident. Ce sentiment de culpabilité le rongeait depuis la mort de Nicolas et voilà que le petit venait lui dire de ne plus s'en faire, car il était avec les anges! Et il ajoute : "Je sais papa que tu avais full de la peine quand tu es allé dans ma chambre et que tu as pris mes médailles". Mon mari ne m'avait jamais dit qu'il était allé dans la chambre de Nicolas, qu'il avait pris ses médailles et qu'il s'était effondré en larmes. Plusieurs autres petites choses ont été dites et Charles ne pouvait que réaliser la présence de notre fils qui était venu pour nous réconforter et nous aider à avancer.

Puis, il écrivit à sa sœur. Il la remercia du beau dessin qu'elle lui avait fait et qui lui avait permis de voler au-dessus des nuages. Quelques semaines auparavant, ma fille avait eu à dessiner un portrait de sa famille à l'école. Intuitivement, elle avait dessiné son frère avec de belles grandes ailes. Et il ajouta qu'elle était super cool et toujours aussi super belle. Il me disait toujours que sa sœur était la plus belle de l'école.

La lettre qu'il m'adresse commence ainsi : "Ma petite maman d'amour". C'est toujours comme ça qu'il m'appelait. Il m'écrit : "Je te l'ai dit que moi aussi je t'aime avant ma descente!". En effet, juste avant qu'il entreprenne sa descente, nous n'étions que tous les deux et je lui ai dit, Nick je t'aime ; il m'a répondu "moi aussi" je t'aime! De toute évidence, c'était bien lui qui était là! Personne ne pouvait connaître les dernières paroles que nous avions échangées, mon petit ange et moi. Je suis heureuse qu'il soit parti avec ce message dans son cœur et je me trouve chanceuse d'avoir entendu ces mots de sa bouche pour la dernière fois. Dans son message, Nico me disait qu'il était bien, de ne pas m'inquiéter, que les anges s'occupaient de lui et qu'il aurait bien voulu rester avec nous, mais que son cerveau était trop endommagé.

Ça m'a beaucoup rassurée de savoir qu'il était bien et en même temps qu'il était là, près de nous. Le fait d'avoir eu ce contact avec notre fils, nous aide tellement à continuer ici et à vivre notre vie après sa mort. Charles est maintenant convaincu que notre fils vit dans la lumière et dans notre cœur.

Pour ma part, je lui parle régulièrement et je sais qu'il m'entend et qu'il veille sur nous, sa petite famille. Il nous manque toujours terriblement. Je pleure encore très souvent, mais je sais qu'il n'est pas loin. J'essaie de me dire que c'est comme si mon fils était déménagé en Australie et qu'il n'y avait ni téléphone, ni avion pour qu'on puisse se voir, se parler ou qu'il puisse nous répondre.

Je le sens présent, près de nous. Je sais qu'il nous protège, qu'il nous guide, qu'il est notre ange. Aujourd'hui, nous essayons très fort d'apprendre à vivre à trois plutôt qu'à quatre. C'est très difficile d'accepter que le noyau familial ne soit plus le même.

La mort de Nicolas nous apprend à lâcher prise et à vivre le détachement. L'amour inconditionnel est la seule force qui nous permettra de renaître à une nouvelle vie. Tranquillement, Charles, Katherine et moi avons réappris à rire. Nous nous permettons d'avoir du plaisir et d'apprécier les belles choses de la vie comme le bleu de la mer, un coucher de soleil ou une belle journée d'hiver. Nous savons que Nicolas nous accompagne. Bien sûr, on ne le voit pas, mais il est là et nous en sommes certains! »

Raconter son histoire personnelle, c'est guérir un peu! C'est aussi ouvrir son cœur aux autres pour leur offrir un miroir et une opportunité d'exercer la compassion. Je suis heureuse d'avoir pu offrir à Élise, Charles, Katherine et Nicolas un espace dans ce livre pour se confier. Il ne fait nul doute dans mon esprit que Nicolas fait partie de ce témoignage et qu'une autre étape de guérison s'enclenche pour chacun d'eux.

Nous n'avons pas à posséder la vérité, car elle nous habite. Comme un phare, elle nous guide vers la source de vie en nous. Je l'ai longtemps cherchée à l'extérieur et je n'ai rencontré que de fausses croyances, des perceptions erronées et de la confusion. Les questions que les gens me posent commencent souvent par « est-il vrai que… croyez-vous que… il y en a qui disent que… » Je leur réponds alors que la réponse qu'ils cherchent se trouve à l'intérieur d'eux-mêmes ; il ne suffit que d'écouter leur petite voix!

La force intérieure de Charles et d'Élise a été grandement sollicitée dans ce triste événement de leur vie. Par surcroît, l'ouverture d'esprit était nécessaire à leur survie et la foi était au rendez-vous. Ils ont accepté d'ouvrir une porte sur l'inconnu pour découvrir que les forces de l'invisible sont inépuisables et guérissantes. Élise nous avoue à la fin de son témoignage : « Bien sûr, on ne le voit pas, mais il est là et nous en sommes certains ».

Il va sans dire que l'idée de la séparation engendre une grande souffrance chez l'être humain. Au départ, parce qu'elle déclenche un sentiment d'abandon, voire de rejet. À partir du moment où nous déprogrammons dans notre esprit cette fausse croyance mentale qui nous fait voir la mort d'un être cher comme une punition ou une malédiction, nous pouvons commencer à installer une nouvelle forme pensée : celle d'un passage, d'un pont vers une nouvelle vie pour tous. Certes, notre chagrin persistera le temps qu'il lui faudra pour évacuer la douleur en nous. Laissez-le faire son travail. Élise nous confie : « J'ai tellement pleuré, je croyais mon cœur à sec de larmes… ».

Un jour, je lisais un reportage d'une entrevue que le Dalaï Lama avait accordée à une journaliste américaine. Celle-ci lui demandait :
- Avec tout ce que vous connaissez au sujet de la réincarnation et à partir de votre philosophie bouddhiste, ça doit faire en sorte que lorsque vous perdez un être cher vous n'éprouvez pas de peine. Comment vivez-vous la mort de vos proches?

Le Dalaï Lama s'est mis à rire comme il le fait souvent et lui a répondu candidement :

- Mais vous oubliez que je suis avant tout un être humain et que le détachement des êtres que je chéris suscite un grand chagrin dans mon cœur. Mon frère est décédé l'an dernier et je l'ai pleuré pendant des jours, même si je sais que nous nous reverrons dans une autre vie!

À travers les étapes de guérison du processus du deuil, il y a le choc, vient ensuite la peine et plus tard la colère. La vie est intelligente vous savez! Toutes ces étapes se déroulent dans cet ordre afin de nous amener à entrer en nous et à découvrir les forces qui nous habitent : entre autres la puissance de notre pouvoir de choisir, notre libre arbitre! Je vous laisse sur cette pensée que vous pouvez programmer à voix haute :

« Je sais que je ne peux pas changer les autres, ni les événements de la vie. Je sais que je n'ai pas de pouvoir sur la vie des autres, mais que je possède le pouvoir de choisir comment je me sens face à ce que la vie me présente. Je suis Maître de ma pensée, je la soigne et la nourris d'amour, de confiance et de lumière. »

Chapitre 3

La lumière de mon père

Lorsque j'ai choisi de regrouper des témoignages dans la première partie de ce livre, je n'avais pas d'idées précises en tête ni d'histoires archivées à cet effet. J'ai simplement demandé à l'Univers d'acheminer vers moi les personnes qui avaient un message à transmettre pour le bien de tous. Et comme par magie, tout s'est déroulé dans l'ordre du grand plan : parfaitement!

L'histoire de Stéphane m'a particulièrement touchée puisqu'elle aborde l'aspect le plus important pour moi dans ce livre, "les étapes de guérison". Tout le chemin parcouru par ce jeune père pour arriver à sa libération me fascine et me donne à la fois un grand espoir pour nos jeunes.

J'invite ici tous les pères, jeunes ou moins jeunes, à lire ce chapitre en ouvrant leur esprit à ce partage, que je considère comme un cadeau de la part de Stéphane. C'est en même temps un hommage à son père et à ses enfants.

« C'était un jour d'août 1971, je venais de naître à la Vie. Un beau petit bébé bien dodu et en pleine santé. Mon père et ma mère étaient très fiers et joyeux. J'étais leur premier enfant et la magie de la conception jusqu'à la naissance les enveloppait de bonheur. Les années passèrent et je devenais un petit homme comme le disait si affectueusement mon père. Un an, deux ans, trois ans et je continuais de grandir heureux, entouré d'amour dans mon cocon douillet!

C'est à l'âge de quatre ans que le destin fit éclater notre cellule familiale. Notre bonheur simple se brisa en mille miettes. Mon père, un homme en pleine forme, athlétique, et heureux fut atteint d'un cancer virulent. En l'espace de deux semaines, sa santé se détériora à une vitesse vertigineuse. Il n'avait que trente-cinq ans, lorsqu'il rendit l'âme.

Toute ma famille, sous le choc, fut terrorisée et profondément attristée par ce départ tant inattendu qu'inexplicable. Ma mère, qui était enceinte depuis six mois de mon frère, ne pouvait concevoir et surtout accepter cette perte. Elle se retrouvait seule pour élever deux jeunes enfants, seule avec son immense chagrin et la peur du lendemain.

Qu'est-ce que la mort? Qu'est ce que la vie? Où allons-nous après la mort? Y a-t-il une vie après la mort? Autant de questions qui se posaient dans l'esprit des adultes qui m'entouraient, mais que personne n'osait exprimer à haute voix, car personne n'avait de réponses.

Et comment une mère en détresse peut-elle arriver à expliquer à son petit garçon de quatre ans qu'il ne reverra plus jamais son papa? Comment le rassurer face à la perte de son héros, son modèle, son guide, sans qu'il ne se sente abandonné?

La mort de mon père ainsi que toutes les circonstances qui l'entouraient me furent cachées durant plusieurs années. La souffrance étant trop grande, on en parlait le moins possible afin de ne pas trop remuer la douleur et la tristesse de son départ.

Comme tous ceux d'entre vous qui lisez ces lignes et qui ont perdu un parent dans leur tendre enfance, j'ai occulté ce tragique événement de ma vie afin de survivre. J'ai longtemps cru que cette blessure était guérie puisque je ne la sentais plus. Et pourtant, elle était encore bien imprégnée dans chaque cellule de mon corps et de mon esprit. La vie s'est chargée de me ramener en mon for intérieur, pour la ressortir du petit tiroir fermé à clé et la soigner.

Vingt-trois ans plus tard, cette souffrance est remontée à la surface. Nous sommes alors en février 1999, ma conjointe arrive au salon, très excitée, les yeux brillants de lumière. Elle s'approche de moi cachant entre ses mains un petit objet qu'il me tardait à découvrir. Elle ouvre donc ses mains et j'aperçois un test de grossesse positif!

"Je suis enceinte!" s'écrie-t-elle folle de joie! C'est l'euphorie, les câlins, les larmes, les rires… notre bon-

heur est à son comble. Une petite âme nous a choisi comme parents! Un être de lumière viendra ensoleiller notre vie! Nous sommes totalement heureux!

Pourtant, derrière ce bonheur si grand, se cachait un petit garçon de quatre ans terrorisé à l'idée que ce bonheur ne durerait pas, que la mort viendrait tout casser une fois de plus.

J'allais être père pour la première fois et un petit enfant allait m'appeler Papa en me serrant dans ses bras. À cette simple pensée, mon corps se crispait, je ne pouvais plus fonctionner adéquatement. Les manques et les souffrances de mon enfance remontaient à la surface et mon corps physique le ressentait. Les mois passèrent et l'anxiété se transformait en angoisse. J'avais des douleurs intenses à l'estomac et à l'œsophage.

Mon mental se chargeait de me questionner constamment sur ma compétence et mon habilité paternelle! "Vais-je être un bon père? Quel est le rôle d'un père dans une famille d'aujourd'hui? Vais-je mourir moi aussi et abandonner mon enfant tout comme mon père?"

Toutes ces questions me hantaient quotidiennement tout au long de la grossesse. Dieu merci! j'ai pu exprimer mes peurs, mes inquiétudes et mes attentes à ma merveilleuse conjointe. Le fait de pouvoir en parler librement était tout à fait libérateur pour moi. Cependant, au-delà de ma conscience, le mal était enfoncé encore plus profondément dans l'inconscient. À partir de mon mental en passant par toutes les cellules de mon corps et de mon esprit, un petit garçon criait à l'aide!

Pour la première fois de ma vie, j'entendais ce cri et j'acceptais d'aller à la rencontre de cette partie de moi! Je choisissais consciemment de libérer mon petit Stéphane de quatre ans de sa prison et de lui redonner confiance en la vie au-delà de la mort!

Par l'entremise de ma conjointe, j'ai rencontré deux femmes merveilleuses qui ont su m'ouvrir les yeux du cœur pour voir ce qui se passait en moi. J'ai entrepris avec elles des rencontres hebdomadaires et des ateliers qui m'ont aidé à libérer mon âme de ses vieilles blessures d'enfance, me permettant enfin de vivre le deuil de mon père, que j'avais refoulé au plus profond de mon être.

Après tant d'années, aller mettre le doigt dans la plaie fait mal. Mais j'étais prêt, je n'étais pas seul pour vivre cette renaissance : deux sages-femmes spirituelles m'accompagnaient. La médecine de l'âme était là pour moi et j'ai choisi de m'accueillir comme un enfant. La mort s'était en quelques sortes programmée dans mes cellules, je devais maintenant déprogrammer et reprogrammer mon disque dur, mon esprit! Il me fallait enfin devenir vivant et pouvoir dire un vrai "oui" à la vie.

En octobre 1999, mon rôle de père commence officiellement! C'est une nouvelle vie pour moi... je suis papa! Notre petite fille est arrivée parmi nous, quel beau bébé de lumière. Quel guide de vie! Quel cadeau!

Ses yeux magnifiques sont bleus comme le ciel. Elle est resplendissante et elle dégage une énergie qui nous magnétise. La vie est très différente lorsque nous avons des enfants, car avec eux, il n'y a place que pour l'essen-

tiel (essence ciel). Ils ne demandent qu'à être aimés et ils aiment tout naturellement, inconditionnellement.

Je l'admire pour sa spontanéité et ses sourires qui dégagent une joie de vivre profonde. L'adaptation de mon nouveau rôle se fait étape par étape et je me sens de plus en plus à l'aise.

En 2001, une autre âme se joint à nous. Il s'agit d'un petit garçon adorable. Un petit être tout doux et merveilleux. Il est beau comme un cœur et rempli d'amour. La vraie vie de famille commence et j'ai de moins en moins de temps à me consacrer.

La renaissance que j'ai vécue avant l'arrivée de notre petite fille a servi à libérer beaucoup de peurs et d'insécurité. Mais comme le processus de guérison profonde se déroule en plusieurs étapes, d'autres peurs refont surface au fur et à mesure que la famille s'agrandit.

La peur de mourir jeune et d'abandonner mes enfants remonte une fois de plus à mon esprit. J'en suis très conscient. Au début de l'été 2004, ma conjointe et moi envisageons la possibilité d'avoir un troisième enfant.

Cette fois la résistance est encore plus forte qu'aux deux premiers, car je sens que je vais mourir même avant qu'il naisse. Cette pensée, que je vais mourir à trente-cinq ans comme mon père, me hante et m'obsède.

C'est alors que les douleurs physiques reprennent de plus belle, mais cette fois c'est mon cœur qui me fait mal. Je souffre de serrements et de pincements au cœur sans relâche. Comme si la mort était encore bien ancrée dans mes cellules! Je me rends à l'évidence : « mon grand ménage n'était pas achevé ». Je me retrouve encore une fois en mode de survie! Pourtant, j'ai tout pour être heureux : des enfants en santé, une femme merveilleuse, un bon travail… quoi demander de plus?

Ce passage de ma vie m'a fait réaliser à quel point le bonheur se trouve à l'intérieur de nous et non à l'extérieur. Il me reste donc à replonger courageusement en Moi pour aller au bout de cette libération.

Dès lors que j'ai manifesté ma volonté d'aller au fond des choses, la vie dans sa grande intelligence a remis sur ma route une de mes guides spirituelles. J'ai accepté son invitation à suivre une formation en "accompagnement de fin de vie". Cette formation m'a permis de démystifier la mort et surtout ma propre mort. Elle m'a permis également de pardonner à mon père son départ hâtif. L'ultime cadeau de cette formation fut d'arriver à libérer mon corps, mon esprit et mon âme de leurs doutes face à l'Amour du père. Enfin, l'ombre de la mort cédait sa place à la Lumière de la vie!

De plus, au cours de cette formation durant laquelle l'énergie de l'amour était très puissante, la cigogne est revenue nous rendre visite. Elle est venue nous annoncer la bonne nouvelle! Un troisième petit ange se préparait à s'incarner parmi nous en octobre 2005!

En toute conscience, j'ai accueilli cette nouvelle, heureux, serein et confiant en sachant que l'énergie de cet être était en lien direct avec cette guérison.

Après avoir fait la paix avec mon enfant intérieur, j'ai décidé d'aller à la rencontre de mon père. À travers le canal de Marjolaine, je lui ai donné rendez-vous! Cette rencontre a transformé ma vie. Il était là au rendez-vous, tout près de moi. Il s'est présenté tout en douceur à Marjolaine en la remerciant de me livrer son message. Ce fut un moment de pure lumière. Je sentais la présence rassurante de mon père, c'était tellement fort que je ne pouvais retenir mes larmes! Il a commencé par me remercier d'être venu à cette rencontre qu'il attendait depuis si longtemps. Ensuite, il m'a livré son message verbalement (toujours à travers le canal de Marjolaine) en me mentionnant qu'il ne m'avait jamais abandonné et que depuis le décès de son corps physique, son esprit est toujours bien vivant dans l'au-delà et qu'il me protège ainsi que ma famille. Il me dit à quel point il est fier de moi et de ce que j'ai accompli dans ma vie. Ces mots qui m'avaient tant manqué durant toutes ces années résonnaient maintenant à mes oreilles comme un baume, une promesse de vie éternelle. L'émotion était à son comble, les larmes coulaient en douce… des larmes d'amour et de joie!

Marjolaine m'offre alors d'animer pour moi une visualisation qui lui sera inspirée par mon père. Je m'installe donc confortablement sur le sofa, les yeux fermés et je m'abandonne à ce voyage qui me fera sentir la proximité de son cœur et de son esprit.

"Tu es un petit garçon de quatre ans. Tu te trouves sur une montagne près d'un lac. Il y a un sentier qui mène près d'un quai. À l'horizon, le soleil entame sa descente et se prépare à se coucher. Le soleil brille de tous ses feux.

Au bout du quai, tu aperçois un homme qui t'attend. C'est ton papa! En l'apercevant, tu cours vers lui. Il dépose un genou par terre et t'ouvre les bras. Tu lui sautes au cou, il te sert contre lui en te disant qu'il t'aime très fort. Vous demeurez ainsi quelques instants l'un contre l'autre. Il caresse ton dos, tu es en parfaite sécurité.

Ensuite, il te prend et t'installe dans une petite barque accostée au quai. Ton papa t'emmène à la pêche avec lui. Il n'y a que vous deux, au beau milieu du lac. Émerveillé, tu le remercies de ce grand moment de tendresse et tu lui dis à ton tour tout l'amour que tu as pour lui."

Il n'en fallait pas plus pour que je fonde en larmes. Mon corps tremblait de partout et ce moment d'amour pur venait bercer mon cœur et mon âme. Après cette visualisation, Marjolaine a canalisé le message écrit de mon père. Un message d'amour et de pardon, un message qui m'a ramené à l'essentiel de la vie.

Souhaitant que sa Lumière puisse vous éclairer, je partage avec vous, chers lecteurs et chères lectrices quelques passages de cette lettre d'amour!

"…Aujourd'hui mon fils, je viens te libérer de cette responsabilité que, sans le vouloir, ta mère et moi, on t'a mise sur les épaules. Que le fardeau sur ton cœur s'allège complètement… »

« …Et comme Jésus dans le désert, tu aurais pu crier un jour : «Père, pourquoi m'as-tu abandonné?» Et bien non mon garçon, je ne t'ai pas abandonné. Et ça tu en auras la certitude lorsque tu tiendras

ton fils dans tes bras... Ce jour-là tu sauras que tu n'as jamais été seul et que dans la vie comme dans la mort, ma Lumière guide tes pas... »

« ...Garde cette belle ouverture, mon fils... tes enfants grandiront dans la Lumière grâce à ton ouverture et ta conscience! Vas, sois heureux, c'est simplement ça ta mission... »

Mon père avait également un message tout spécial pour moi et ma conjointe, provenant du petit être qui est sur le point de s'incarner parmi nous :

" ...Le petit être qu'elle porte est à la fois un grand être et il vient sur la Terre dans un seul but : aimer... donner et recevoir de l'amour. Il ne souhaite pas être surprotégé, surveillé ni surdoué! Il souhaite être libre et heureux dans l'amour. Donnez à votre enfant intérieur, d'abord, cette liberté et cet amour!"

Quoi dire de plus que : "C'est beau la vie!"

Ce moment intense passé en la présence indéniable de mon père fut pour moi une réconciliation avec la vie, une harmonisation sur tous les plans. La toute-puissance de l'énergie de l'Amour du Père a traversé mon Cœur.

Que mon père m'ait amené à la pêche ce jour-là m'a confirmé sa présence dans ma vie, parce que, voyez-vous, je suis un grand amateur de pêche et que l'image de mon père et moi à la pêche dépasse mes rêves les plus chers. Maintenant, je sais que je peux m'y retrouver en tout temps… je n'ai qu'à fermer les yeux et me propulser dans cette dimension du monde des esprits pour recréer cette communion d'âme à âme. Cette journée du 24 août 2005 restera gravée en moi pour l'éternité.

Je terminerais ce texte en vous suggérant ceci : quoi qu'il arrive dans votre vie, restez à l'écoute de votre corps et de votre cœur. Le pardon à Soi-même et aux autres est la clé maîtresse de la libération.

Nous sommes si souvent aveuglés par tout ce qui est à l'extérieur de nous : la télévision, les journaux, les potins, le travail, les embouteillages, le jet-set, les modes, etc., que nous oublions alors de regarder à l'intérieur de nous. Pourtant, c'est là que se trouve notre plus grand trésor.

Regardons la vie et tous ses bienfaits avec les yeux du cœur. Apprenons à nous aimer et à nous respecter!

Je retiens de tout ce cheminement que la mort n'est pas la fin de tout. Au contraire, la mort est comme la vie, un passage qui nous permet de nous élever un peu plus haut, un peu plus loin. La lumière y est omniprésente et nous sommes protégés et aimés.

Merci Papa, tu es un guérisseur d'âme, et que ta Lumière brille de tous ses feux sur la Terre, comme au Ciel!

Je t'aime,
Ton Fils bien aimé…. xxx »

Chapitre 4

Hélène et le cadeau de sa vie !

Parmi les nombreuses personnes que j'ai rencontrées en consultation, certaines sont devenues de précieuses amies! Même si on ne se voit pas beaucoup plus souvent que nous voyons nos chers disparus, leur lumière est là qui m'accompagne dans ma mission et vice versa. La plus belle phrase que j'ai un jour entendue et qui me vient à l'esprit pour exprimer la beauté et la grandeur de l'amitié, c'est celle-ci : « Nos amis sont comme les étoiles dans le ciel, même si on ne les voit pas toujours, nous savons qu'elles sont là! »

Je vous laisse en toute intimité avec mon amie Hélène Brillon!

Lorsque Marjolaine m'a demandé si je souhaitais partager avec ses lecteurs l'expérience que j'ai vécue suite à la mort de mon cher fils Jackie, j'ai hésité car je trouve difficile de mettre par écrit ce qui est plus facile pour moi de verbaliser.

Après mûre réflexion, j'ai choisi de le faire par amour pour mon fils, pour mes frères et sœurs de la Terre ayant connu la même affliction et pour Marjolaine et sa belle oeuvre.

J'espère que mon bref message saura vous apporter réconfort, espoir et apaisement à vous tous chers parents, à qui la mort est venue réclamer un de vos enfants. Si mon partage aide une seule personne, il n'aura pas été en vain.

Jackie a quitté le plan terrestre subitement à l'âge de 29 ans, suite à un accident de voiture. J'ai donc reçu la nouvelle de son décès de plein fouet, annoncée mala- droitement par un jeune policier visiblement très gêné de le faire. Je n'ai nul besoin de vous décrire la souffrance qui a suivi : cette douleur viscérale qui m'a transpercée, s'installait pour une longue durée.

À l'âge de 16 ans, j'ai été victime d'un viol et comme moyen de défense, j'avais décidé inconsciemment bien sûr, de me couper de tous sentiments douloureux, de ne plus me laisser aller aux larmes et aux émotions qui pouvaient me placer dans une position de vulnérabilité. Pendant plus de trente ans, j'ai choisi le contrôle, de moi- même et de mon environnement, m'accordant ainsi un faux sentiment de sécurité. Alors, vous pouvez facilement imaginer la difficulté que j'ai eu à exprimer ma peine, à extérioriser ma souffrance et à pleurer ma perte, si énorme fût-elle. Je ne savais carrément plus comment pleurer! Je réussissais si bien à tout enfouir que je par- venais à parler du décès de Jackie comme si ça faisait longtemps qu'il était décédé, comme si mon deuil était déjà fait. J'agissais ainsi quelques mois seulement après sa mort, et ce, à la grande surprise des gens avec qui j'en discutais.

Mais on ne peut pas continuer de se mentir à soi-même éternellement, ni de déjouer pendant des années notre vraie nature, notre corps et notre esprit, sans qu'ils s'y objectent un bon jour. En même temps que je vivais ce deuil, ou plutôt que je faisais de mon mieux pour ne pas le vivre, les difficultés s'accumulaient dans tous les domaines de ma vie, jusqu'à ce que je ne puisse plus en ignorer les appels. Devant autant d'obstacles et de difficultés, je n'avais plus d'autre choix que de baisser les bras, de faire taire mes défenses et mes peurs. Je n'en pouvais plus de cette vie si douloureuse! Mon libre arbitre et la grande sagesse de la vie m'avaient permis d'aller jusqu'au bout de mon chemin de déni, de ma recherche dans les difficultés ; mais maintenant ma sagesse innée, la sagesse de mon corps me rappelait à l'ordre, ayant finalement raison de cette coupure de soi. J'ai fait un "burnout" et je suis devenue incapable de fonctionner dans la vie de tous les jours. On me déclara en dépression!

A peu près au même moment, j'ai entendu parler d'un groupe de soutien pour les « parents-orphelins », soit des pères et mères ayant perdu un enfant, qui tenait ses rencontres mensuelles à l'hôpital Montreal Children. Dès le premier instant où j'y ai mis les pieds, j'ai éclaté en sanglots, j'ai hurlé ma peine au point de faire presque peur aux autres participants! Tout ce refoulement trouvait enfin issue, pouvait pour une fois s'exprimer. Je crois que ce fut mon premier pas vers un retour à mon essence, à une vie plus équilibrée, plus vraie, plus complète. Évidemment, ça ne s'est pas fait du jour an lendemain ; les vieilles habitudes essayaient souvent de reprendre leur place. Mais petit à petit, je me suis donnée la permission de descendre en mon cœur, ce cœur si longtemps fermé par peur de trop souffrir. Doucement, je lui cédais la place, et je rencontrais ses souffrances et les apprivoisais, une à la fois. Et ce travail continue toujours, 12 ans après cette première ouverture.

Depuis l'adolescence, je cherche à donner un sens à la vie et en déceler le mystère. Mon cheminement m'a amené à étudier la spiritualité, la psychologie et la méta- physique ainsi qu'à prendre de nombreux cours et ate- liers de croissance personnelle. Mais toute ces connais- sances demeuraient à l'extérieur de moi, ne venaient pas toucher « mon fort intérieur », et ce, malgré une vie riche en expériences de toutes sortes. La mort de Jackie a changé tout cela. La plus grande douleur de ma vie est venue à bout de ma "grosse tête" et je ne pouvais plus faire semblant ni rester à la surface. J'ai alors entamé un retour vers le centre de mon être, là où réside la vraie connaissance!

Tout au long de ma démarche, j'ai senti la présence de Jackie. En effet, malgré ma fermeture à l'aspect émotion- nel de ma vie consciente, j'ai la bonne fortune d'être sensible aux dimensions non concrètes, au monde invi- sible, et je ressentais souvent la présence de mon fils ; maintes fois, il a confirmé par des messages canalisés de Marjolaine ce que j'avais « entendu » ou « reçu » intuitivement. Sa présence et ses messages m'apportaient le réconfort si appréciable durant cette période exi-

geante. Il m'a souvent insufflé le courage et inspiré à comprendre la nécessité du prochain pas, à poser les bons gestes et à aller au-delà de mon petit monde fermé.

Et petit à petit, d'une prise de conscience à l'autre, j'ai retrouvé une harmonie, une paix intérieure et une joie de vivre qui ne m'étaient pas accessibles auparavant, libérant du même coup les douleurs de mon corps. N'eût été du cadeau ultime que m'a fait mon fils par sa mort, je n'y serais peut-être pas arrivée en cette vie. Car maintenant, c'est ainsi que je vois son décès ; il a choisi de donner sa vie et de quitter cette Terre à un si jeune âge par amour pour moi. Personnellement, je crois qu'il y a d'autres raisons pour cette grande offrande. Sa mort nous a permis, à tous deux, de faire des libérations karmiques et d'atteindre un nouvel équilibre dans le grand cercle de la vie et de la mort. Même si vous ne croyez pas à la réincarnation, vous pouvez trouver délivrance, réconfort et inspiration en recherchant le cadeau que cachent dans leurs mains la mort de votre enfant ainsi que tous les événements pénibles de votre vie. Je vous encourage à descendre dans votre centre du cœur et à lui demander de vous aider à en comprendre le sens et en intégrer les bienfaits. C'est ce que je vous souhaite de tout cœur, chers parents, et c'est aussi mon souhait le plus sincère pour tous les êtres de la Source.

Que puis-je ajouter à ce partage de sagesse et d'amour, d'une femme que j'ai rencontrée il y a bien une douzaine d'années, que je vois grandir, répandre ses enseignements et son amour à toute notre planète en mal d'amour et de compassion.

Quoi d'autre que Merci!

Chapitre 5

Le grand et le petit Simon

Parmi les nombreuses rencontres que j'ai faites en 13 ans de consultation, certaines ont été pour moi plus marquantes que d'autres. L'histoire de Simon m'a particulièrement touchée. Cette expérience m'a inspiré une grande réflexion sur le phénomène des mémoires de l'âme et de la réincarnation. Vous pourrez en tant que lecteurs en retirer une forme d'enseignement et vous faire votre propre opinion.

Ce matin-là, je reçois Rolande : une femme discrète, qui ne s'impose pas et qui, de toutes évidences, a peu d'attentes, mais plutôt un grand besoin. Ses yeux sont empreints d'une profonde tristesse.

Je capte rapidement la présence de son fils Simon, décédé à l'âge de 22 ans. Il s'empresse de préciser qu'il n'a pas fait exprès, que c'était un accident. Sa mère m'informe que son fils s'est noyé au cours de la nuit suivant son anniversaire :

« Tard dans la nuit, Simon et ses amis sont allés faire un tour de bateau et à un moment donné, l'eau s'est infiltrée dans l'embarcation. Ils se sont tous jetés par-dessus

bord pour ne pas couler. Non loin de la rive, Simon a commencé à perdre ses forces et il a crié qu'il était trop fatigué, qu'il ne pouvait plus nager. Au grand malheur de son ami, qui venait à peine de s'accrocher au quai, Simon s'est enfoncé dans les eaux du lac et s'est noyé.»

Par mon canal d'écriture, Simon est venu livrer à sa mère et à sa famille un message de vie et de réconfort. Dans leur grande générosité, ils ont accepté de partager avec vous ce passage difficile de la mort de Simon, ainsi que des manifestations qui les ont accompagnées dans leur chemin de guérison.

Apaisée par le message de son fils, Rollande est repartie, le cœur un peu moins lourd et courageusement, elle a choisi de poursuivre sa route, portant dans son âme le souvenir précieux d'un enfant merveilleux qu'elle continuerait d'aimer pour l'éternité. Il lui restait son mari, ses enfants et petits-enfants. Ils étaient là, bien vivants, ayant besoin d'elle tout comme elle avait besoin d'eux! En plus, une nouvelle vie s'annonçait… son fils Guy et sa bru Brigitte allaient avoir un enfant. Cette nouvelle fut reçue par Rollande comme un baume sur son cœur déchiré.

Simon et Guy travaillaient ensemble sur la ferme de leur père. Ils étaient étroitement liés et pour Guy, la perte de son frère était comme perdre un jumeau, une partie de lui! On dit souvent qu'il n'y a pas de perte plus dévastatrice que celle d'un enfant. C'est probablement vrai. Je reste quand même très sensible à la douleur des séparations fraternelles.

Quelques années plus tard, Brigitte, la femme de Guy, se présenta en consultation chez moi. Son mari était encore très bouleversé par la mort subite de son frère ; il n'osait pas faire la démarche vers moi pour recevoir des nouvelles de Simon. Une peur l'habitait, celle de toucher à cette blessure profonde en lui ; peut-être aussi qu'inconsciemment il avait peur que son petit frère ne soit pas au rendez-vous. C'est donc Brigitte qui se prêta volontaire pour vivre cette communication avec l'au-delà. La séance se déroula dans une grande fluidité et Brigitte reconnaissait très bien la présence et l'authenticité du message de Simon.

L'enfant tant attendu était maintenant arrivé. Sans hésiter, Brigitte, Guy et les grands-parents furent d'accord pour le prénommer Simon. Au cours de notre rencontre, Brigitte me raconta des événements très révélateurs quant à la présence de Simon à travers leur enfant. Pour elle, c'était comme si son beau-frère voulait venir leur dire : réveillez-vous, croyez-y! il y a une vie après la mort!

Vers l'âge de deux ans, l'enfant avait pris l'habitude de se réveiller la nuit et d'appeler en criant : Rollande, Gilles, Guy! La scène se répétait nuit après nuit, sans relâche. Brigitte trouvait très étrange que l'enfant appelle ses grands-parents et son père par leur prénom, mais surtout qu'il ne l'appelle pas, elle, sa maman.

Brigitte me raconta une autre révélation assez surprenante du petit Simon :

« Un soir, je bordais mon petit homme comme j'avais toujours l'habitude de le faire et tout bonnement, il me dit : "Moi maman, une fois là, j'étais dans un bateau, je suis tombé dans l'eau et je suis mort". Sidérée par cette révélation soudaine, j'ai couru chercher mon fils Francis pour qu'il puisse entendre aussi le témoignage de son

petit frère. Et sans hésiter, le petit Simon raconta une deuxième fois cette aventure qui l'avait mené vers la mort. »

Suite à ces manifestations quelque peu bouleversantes, Brigitte et Guy décidèrent de consulter une psychothérapeute qui, par l'hypnose, entre en contact avec l'âme. Elle a donc pu constater que le petit Simon était visité par l'esprit du grand Simon. En d'autres mots, qu'il lui servait de canal. À mes yeux, ce phénomène m'apparaissait comme une fusion des deux âmes pour vivre une libération dans leur passage respectif. Par des traitements en énergie et avec ses propres techniques de guérison, cette sage-femme spirituelle a réussi à aider les deux âmes à se libérer.

Dans tout ce processus d'évolution et d'éveil de la conscience, j'ai éprouvé une grande admiration pour la maturité avec laquelle Brigitte a traversé cette voie de libération. L'attachement indéniable de l'enfant pour sa grand-mère demandait constamment à la jeune maman de s'en remettre à la loi de l'amour inconditionnel. Elle me racontait avoir assisté plusieurs fois à des crises de larmes lorsqu'elle essayait d'arracher son bambin des bras de sa grand-maman.

Aujourd'hui encore, ses grands-parents occupent une place immense dans le cœur du jeune Simon qui a maintenant 10 ans. Dans leur maison, il se sent chez lui ; il suit son grand-papa partout sur la ferme. « C'est tellement beau de les voir tous les deux ! » me disait la mère récemment.

Plusieurs signes ont continué de confirmer la présence du grand Simon, comme protecteur du petit. Et un beau jour, Guy a choisi de s'ouvrir et de laisser entrer le message de son frère pour lui. Il lui fut extrêmement difficile d'accepter la mort de son frère et de le laisser partir.

Suite à l'expérience que toute la famille a vécue face à la rédaction de ce témoignage, Guy a libéré une autre couche de sa blessure : un secret qu'il n'avait jamais révélé à personne et qu'il gardait pour lui depuis six ans, de peur qu'on ne le croie pas et qu'on le juge. Il tient à le partager avec nous tous maintenant puisque, dit-il, c'est le cadeau de Simon pour sa guérison et son acte de foi!

« Une nuit, je me suis réveillé vers 12 :45 et j'ai vu mon frère. Oui, moi, le gars plutôt sceptique, je l'ai vu assis sur le bord de mon lit dans une forme lumineuse. Il m'a dit qu'il devait maintenant partir pour ne plus revenir dans un corps physique et que je devais l'accepter, le laisser aller. J'ai voulu lui crier "non, ne pars pas", mais il était trop tard, sa silhouette s'était déjà envolée.

Mes yeux se sont emplis de larmes, elles coulaient de chaque côté de mon visage sans que je n'aie aucun contrôle, comme si mon âme déversait sereinement sa peine. J'étais soulagé et heureux pour lui de le voir bien dans sa Lumière. Pour moi, il me restait à faire le deuil de sa présence physique. Je réalisais que je ne reverrais plus jamais mon frère que j'aime tant. »

Je me permets ici d'interpréter le message que Guy nous donne aujourd'hui : prenez conscience qu'en retenant nos défunts, c'est nous qui nous retenons dans la mort.

Les liens qui nous unissent sont souvent insaisissables. Il m'a fallu beaucoup de temps pour comprendre l'impact majeur qu'avait eu sur ma vie le passage et la mort de mon ami René. Je me suis déjà même sentie coupable de ne pas avoir eu autant de peine à la mort de certains membres de ma propre famille. Tellement qu'un jour où je captais un message de René, je lui ai demandé s'il connaissait le lien karmique si fort qui nous unissait dans cette vie-ci? Il m'a répondu très clairement : « Toi et moi, dans des vies antérieures, nous avons été des jumeaux à deux reprises. J'ai renoncé à naître pour te donner une chance de survivre et tu as fait la même chose pour moi! Alors maintenant, tu comprends pourquoi notre lien est si grand? »

J'en étais alors à mes tout premiers débuts dans l'expérience de l'écriture automatique. Capter une information de ce genre n'est pas une mince tâche. Je n'avais aucun point de repère pour valider le message et j'avais peut-être toutes les chances du monde d'avoir fabulé. Une petite voix me disait pourtant que ce message était authentique. Un grand frisson m'avait parcouru de la tête jusqu'au bas du dos ; le frisson est souvent un indicatif très clair de l'authenticité d'un signe ou d'un message. Mais enfin! j'ose confier mon doute à mon ami "au bout du fil" qui me répond en riant : « Ah! chère Marjo, le fameux doute… c'est tellement humain. Ne t'en fais pas, dans les jours qui viennent, je te confirmerai cette lecture d'âmes. Reste à l'écoute! »

Une dizaine de jours plus tard, je rencontre une nouvelle collègue de travail qui m'invite à dîner. Nous faisons connaissance et tout à coup, elle me demande :
- As-tu connu René L.?
- Très bien, lui répondis-je, c'était mon meilleur ami!
- C'est drôle, me lance-t-elle en riant, on dirait que tu es René en jupe… c'est comme si tu étais sa jumelle!

J'étais sidérée! Mes éclats de rire s'entremêlaient à la fois à des émotions de joie et de nostalgie. Je me rappelais cet humour merveilleux qui nous unissait dans notre profonde amitié. Je l'ai remercié pour cette belle manifestation, même s'il m'avait foutu un terrible cafard : vous savez cette nostalgie qui nous envahit lorsque leur présence nous manque tellement ? L'espace d'un instant, j'ai fermé les yeux et j'ai revu son magnifique clin d'œil et son sourire franc qui me disaient : « Tout est correct, lâche pas ma grande, je serai toujours là pour toi! »

« Il n'y a pas de séparation dans l'entendement Divin… » J'ai lu cette phrase quelque part, il y a très longtemps. Elle ne m'a jamais quittée, surtout dans les moments où je me sentais seule! Qu'elle vous accompagne aussi pour votre plus grand bien!

Chapitre 6

L'Étoile la plus brillante… c'est maman

Cette histoire, à la fois si triste et si lumineuse, m'est parvenue à la veille d'acheminer mon manuscrit chez l'imprimeur. Une fois de plus, me voilà fascinée devant le merveilleux phénomène de la synchronicité!

Il s'agit de l'histoire d'une jeune femme de 34 ans, de son mari adoré, Louison et de leurs sept enfants. Dès ma première rencontre avec Josée, je me suis inclinée respectueusement devant son courage et son amour des enfants pour avoir osé bâtir une si grande famille dans la société où nous vivons!

Sans le savoir, je rendais hommage à une maman qui était atteinte d'un cancer et qui souhaitait communiquer avec son père pour lui demander qu'un miracle se produise. Je me souviens qu'à travers ce premier message, son papa l'accompagnait totalement dans sa bataille, l'assurant de sa présence et de son amour.

Les gens s'en remettent souvent à leurs proches disparus pour obtenir une faveur, voire une guérison miraculeuse. C'est un réflexe très humain! Par ailleurs, j'explique toujours ce point de vue important à ceux qui sont dans l'attente de ces grandes manifestations. La guérison se passe parfois à un niveau beaucoup plus élevé que celui du corps physique. Ce qui nous semble inacceptable et tragique est parfois le chemin qu'a choisi l'âme pour Sa grande guérison.

Quelques mois plus tard, donc, Josée est revenue me consulter pour obtenir cette fois la bénédiction de son père. Les médecins ne lui donnaient plus aucun espoir de guérison. Tous les traitements avaient été interrompus. Elle devait rentrer chez elle et se préparer à partir.

Ce matin-là, la jeune maman aurait bien souhaité entendre son père lui dire qu'elle s'en sortirait, tellement elle ne voulait pas quitter ses petits et son mari qu'elle aimait tant. Son petit crâne duveteux, ses chevilles et ses pieds enflés, ainsi que son teint jauni m'en disaient long sur le stade de la maladie. Je n'oublierai jamais ses beaux grands yeux bleus remplis de larmes qui coulaient sans cesse sur ses joues comme une fontaine inépuisable, sans gémissement, sans panique! Elle disait tout bas :

   - Je ne veux pas m'en aller… c'est trop triste, je ne peux
     pas les abandonner! je les aime tant!

J'ai pleuré avec Josée! C'est à dire qu'à ses côtés, j'ai laissé pleurer ma petite Marjolaine de 12 ans qui voyait sa maman malade, sans que personne n'ose, dans l'ignorance et la peur constante, prononcer les mots *cancer* ou *mort*.

Le message d'amour et d'accueil infini de son père est venu bercer son cœur et rassurer son âme. Il l'invitait maintenant à se laisser aller, à lâcher prise et à avoir confiance en l'avenir ; ni son mari, ni ses enfants ne manqueraient de rien. Il l'assurait qu'elle pourrait de l'au-delà venir, comme lui, veiller sur eux, les guider et les aimer dans la toute puissance de Sa lumière.

Faible, résolue et terriblement triste, Josée s'est péniblement relevée après avoir déposé dans son sac à main, la lettre d'amour de son papa. Je me suis levée à mon tour et je lui ai tendu les bras. Sa tête blottie au creux de mon épaule, je flattais son dos fatigué afin qu'elle puisse se libérer de ce lourd fardeau de culpabilité, de peurs et de chagrin. Après qu'elle eut évacué une autre grande couche de son immense peine, je lui ai dit :

« Maintenant Josée, je vais te parler au nom de tes sept petits enfants. Tout ce qu'ils ne sont pas capables d'exprimer aujourd'hui, je vais l'interpréter pour eux, comme j'aurais aimé pouvoir le faire pour ma mère. Regarde-moi Josée, et dis-toi que tes enfants auront toute la force et l'amour nécessaires pour continuer leur vie et être heureux. Je suis la preuve vivante que l'on peut renaître et devenir encore plus fort après le départ de notre maman. Aie confiance que ta Lumière et ton Amour les rejoindront toujours. Ils ont un papa merveilleux, rempli de bonté et d'amour, qui prendra soin d'eux, tu le sais. En leur nom, je te dis de tout mon cœur : "Va, petite maman d'amour, va te reposer ! L'amour des tiens t'accompagne !" »

Je crois que Josée a pu accueillir ce message au nom de ses enfants et se sentir soulagée d'une certaine façon. Mais la partie qui lui causait un problème était celle de son incapacité à leur annoncer sa mort éminente! J'ai tenté de la convaincre de l'importance de dire les vraies choses et de leur donner une chance de s'exprimer eux-mêmes, mais elle ne trouvait pas la force de surmonter cette épreuve. Respectant sa capacité à transcender cet espace de guérison, j'ai continué simplement de lui tenir la main.

Deux semaines plus tard, Josée s'est envolée! C'est suite à un très bel article dans le journal *La Presse*, que j'ai appris son décès. Un soir, peu de temps après son décès, j'ai téléphoné à Louison, son merveilleux mari.

En lui offrant mes sympathies, je m'informe de lui et des enfants. Il y a dans notre échange quelque chose de sacré, une paix innommable, un courant d'énergie si pur. Sa voix sereine, accompagnée de la musique des rires et des cris des enfants derrière lui, m'éblouit. À mon grand émerveillement, je réalise qu'il y a de la vie et même de la joie autour de lui, dans cette maison.

Tout bonnement, Louison s'ouvre et me confie :
- *Marjolaine, je ne connais pas la force qui m'habite en ce moment, ça ne peut pas être autre chose que la voix de Josée qui m'inspire, qui est là pour me mettre les mots dans la bouche.*

Il m'informe qu'il est, bien sûr, en arrêt de travail et qu'en plus ils ont reçu un soutien incroyable de la communauté de leur petit village.

Et voilà qu'il me raconte :

- *Quelques semaines avant le décès de Josée, nous avions convenu de faire une activité avec les enfants, soit aller voir un film, faire une visite au Zoo ou un souper au restaurant. Nous voulions faire une dernière sortie tous ensemble. Malheureusement, nous n'avons pas eu le temps. La santé de Josée s'est mise à décliner très rapidement.*

  Quelques jours après son départ, j'ai dit aux enfants que maman aurait bien aimé que nous fassions une belle activité en famille et que même si elle était partie, nous pourrions la faire, car elle était toujours avec nous. J'ai fait voter les enfants et c'est le cinéma qui l'a remporté.

  De retour à la maison, dans la voiture, ma petite de cinq ans me demande :
    - *Elle est où maman, Papa?*

  Sans réfléchir un seul instant, je réponds :
    - *Maman est un esprit maintenant!*
    - *Et ça vit où un esprit?*

  Comment décrire à une enfant de cinq ans ce que sont les esprits et où ils vivent! La réponse m'est venue sur le champ. Cette réponse ne pouvait pas venir de moi, c'était Josée qui me soufflait les mots à l'oreille pour expliquer à ses enfants adorés qui écoutaient attentivement dans la voiture. Je lui ai répondu :
    - *L'esprit de maman, mon ange, vit sur l'étoile la plus brillante que tu peux voir dans le ciel! Alors quand*

vous regardez les étoiles le soir, cherchez celle qui brille le plus… cette étoile-là, la plus brillante, c'est maman qui est là pour nous autres !

Aussitôt la petite et son frère s'écrient :
  - Oui ! oui ! on l'a vue hier soir. Mais Papa, il y en avait deux étoiles pareilles, très brillantes, une à côté de l'autre! C'était qui l'autre?

Je fus surpris moi-même de m'entendre répondre spontanément :
  - Eh bien l'autre, c'est son papa qui l'attendait dans l'au-delà!

Cet échange rempli de lumière déposa un baume sur mon cœur de petite fille, de mère et de messagère. Je crois que Louison était aussi conscient de tout l'amour guérissant qui circulait dans l'énergie!

Nous nous sommes salués en gardant une porte ouverte sur une rencontre prochaine, dès que Josée serait prête à se manifester par mon canal et que lui aussi serait prêt à franchir cette étape. Josée n'avait pas réussi à verbaliser ses adieux à ses amours avant de partir! Ce n'est qu'à la toute dernière minute que Louison et leurs deux enfants aînés ont pu s'approcher d'elle pour l'accompagner dans son dernier souffle.

Heureusement, Josée avait accueilli l'accompagnement de sa thérapeute Micheline Ste-Croix, « sage-femme spirituelle ». Je connais la lumière de cette femme et je suis heureuse de savoir qu'elle était là, à son chevet, pour l'accompagner!

Une semaine avant la remise de ce manuscrit à l'imprimeur, j'ai senti la présence de Josée dans sa Lumière. Je l'ai bénie et remerciée pour tout ce que son passage m'a appris et pour toute la confiance qu'elle m'a accordée. Et candidement, je l'ai invitée à faire partie de ces témoignages en m'adressant à elle, en ces mots :

- Si ton souhait est de répandre ta Lumière à travers ce livre, Josée, tu n'as qu'à me faire signe très clairement. Je ne solliciterai pas Louison, par respect pour le processus des étapes qu'il vit. Donc, si vos âmes se mettent d'accord pour livrer votre histoire, fais en sorte que Louison me téléphone d'ici vendredi, puisqu'après, il sera trop tard… le tout sera confié à l'imprimeur!

Le jeudi suivant, je prends un message dans ma boîte vocale. J'entends d'abord la symphonie infantile derrière la voix de Louison qui me dit :

- Marjolaine, je serais prêt à m'entretenir avec toi au sujet de Josée, etc.

Le lendemain, je le rappelle et il me dit :

- La deuxième raison de mon appel était pour te parler de l'écriture. Avant la mort de Josée, je n'écrivais pas tellement, mais depuis, j'ai beaucoup écrit et je serais heureux de partager mon message dans ton livre.

Nul besoin de vous dire ma joie et ma fascination encore une fois devant les communications spirituelles aussi fluides!

Voici donc le récit d'un homme de cœur, entouré d'amour et d'espoir, malgré le départ de l'être le plus précieux pour lui avec ses sept enfants.

La pire tragédie de ma vie… suivie d'un grand voyage intérieur

J'aimerais vous raconter mon histoire !

Josée et moi formons un couple heureux, sans histoire. Je suis au début de la quarantaine, ma femme a 34 ans et nous savourons notre rêve réalisé : une famille ! Mais pas n'importe quelle famille… sept merveilleux enfants, que nous adorons et qui font notre bonheur. Josée est une femme d'une bonté inestimable et je m'efforce d'être le meilleur père et le meilleur mari possible ! C'est sans doute grâce à notre amour l'un pour l'autre que nous avons réussi à réaliser nos rêves et à grandir ensemble.

Pourtant, nous ne nous doutons pas qu'un nuage plane au-dessus de nos têtes ! Le 2 novembre 2004, Josée ne se sent pas bien et elle me demande de préparer le repas ! Je lui demande ce qui ne va pas et elle me confie qu'elle a très mal à l'estomac. Je réagis aussitôt et téléphone à sa sœur pour la conduire à l'hôpital. Résultat : elle doit être opérée le soir même pour une appendicite.

Il semble que ce n'est rien de très sérieux et en plus, l'opération se déroule bien. C'est en observant les radiographies que les médecins décèlent au foie des nodules de provenance inconnue. Il s'agit d'un diagnostic dont ils nous font part par courrier, en nous demandant de prendre rendez-vous pour un examen pouvant déterminer la source de ces nodules.

Suite à l'opération de l'appendice, Josée a dû interrompre l'allaitement de notre petite dernière. Peu de temps après le sevrage, une bosse est apparue sur son sein. Sans tarder, ma femme consulte son médecin de famille. Après deux biopsies, il laisse entendre à Josée qu'il pourrait s'agir simplement d'un kyste, étant donné qu'elle a peu de facteurs de risque. Par contre, lorsque nous présentons au médecin la lettre contenant le diagnostic des nodules au foie, on sent qu'il est inquiet.

Pendant toute l'attente des résultats, nous vivons de terribles moments d'angoisse ; mais nous nous refusons à envisager le pire. À ce moment-là, je me trouve sur la fin de mon congé de paternité. J'avais donc entrepris des travaux à la maison pour mieux répondre aux besoins de notre famille, toujours grandissante.

Mon retour au travail était prévu pour le 10 janvier 2005. Le 6 janvier le téléphone retentit ; c'est la secrétaire de la clinique médicale qui demande à Josée de se présenter dès le lendemain pour rencontrer le médecin. « C'est très important! » ajoute-t-elle. Cet appel m'a coupé les deux jambes, je ne me sentais plus capable de fonctionner! La peur et l'inquiétude nous envahissaient.

Arrivés à la clinique, Josée me demande d'attendre dans l'auto avec les deux petits. Dès qu'elle est sortie de cette rencontre, j'ai tout de suite réalisé la gravité de la situation. Elle était en crise, sous le choc et elle refusait de croire ce qu'elle venait d'entendre. Et c'est là que dans mon esprit, ça a fait "boom !" Une bombe venait de me tomber sur la tête!

Mon mécanisme de survie s'est dès lors mis en branle et j'ai tourné vite mon attention sur Josée qui avait un énorme besoin de réconfort. Je l'ai prise et serrée dans mes bras et lui ai dit : « *Chérie, tu vas t'en sortir. Tu es jeune et très forte* ». *Elle a répliqué en pleurant : « Ne te fais pas d'idée, la médecine n'a pas réussi à sauver ta sœur et elle n'avait que 32 ans. »*

J'essayais de réfléchir, de trouver les bons mots pour l'encourager et au bout d'un moment, ils sont sortis :
- *Oui mais Josée, ça fait 12 ans de cela. La médecine a évolué depuis! Ils vont t'enlever ton sein et tu vas continuer de vivre avec nous. Et même avec un sein en moins, je vais t'aimer autant qu'avant. Là, tu vois, on va mettre toutes nos forces et nos énergies pour t'épauler dans tout ça.*

À ce moment, la biopsie pour le foie n'avait pas encore été faite. Le médecin espérait qu'il puisse s'agir d'un autre type de cancer ou d'une infection, mais le risque qu'il s'agisse du même cancer était très élevé.

Le résultat de la biopsie nous le confirma. C'était le cas. En plus, le cancer était très avancé. À la fin de notre première rencontre avec l'oncologue, je lui ai demandé quelles étaient les chances de guérison. Il m'a regardé droit dans les yeux et m'a répondu : « On ne parle pas ici de guérison mais plutôt de contrôle. »

À partir de ce moment, je devais donc entrevoir un tout autre mode de vie. Je me fis un devoir d'être à ses côtés sans relâche, de vivre chaque moment qu'il nous restait ensemble. J'ai fait appel à ma force intérieure pour vivre avec la maladie tout en luttant contre elle.

L'espérance qu'un miracle se réalise devenait mon cheval de bataille! Josée et moi avons donc choisi d'un commun accord de s'entourer de gens positifs afin de renforcer notre foi en une guérison possible. Nous avons éloigné toutes les personnes pouvant dégager une énergie négative autour de nous et, de tout notre cœur, nous avons prié pour que le meilleur arrive.

Durant la maladie, on a eu recours à quatre grandes spécialistes de l'accompagnement et de la guérison de l'âme. Ces femmes ont entouré Josée de leur compassion et de leur amour infini. L'une d'entre elles a été Marjolaine Caron, l'auteure et la messagère de ce livre, qui a permis à Josée d'entrer en contact avec ce monde inconnu d'où son père est venu lui tendre la main. Josée avait puisé dans les livres de Marjolaine beaucoup d'enseignements et d'espoir.

Une autre femme merveilleuse que le ciel nous a envoyée est Micheline Ste-Croix, une thérapeute en approche psycho-corporelle et transpersonnelle. Ces deux femmes ont fait beaucoup pour Josée et, indirectement, elles m'ont aidé énormément dans ce passage difficile et mon cheminement intérieur.

Et il y a cette troisième personne à qui je dois beaucoup. Eveline Tremblay, notre travailleuse sociale qui est arrivée dans notre vie, deux mois seulement avant le décès de Josée. Peu de temps avant son départ, Josée m'a dit : « Louison, cette femme n'est pas sur notre chemin par hasard. Je sais qu'elle est venue vers nous et que sa présence dans notre vie est très importante. Le destin

*l'a placée sur notre route et ce n'est pas pour rien. »
En effet, Eveline continue de m'accompagner en
thérapie dans mon processus de deuil et je lui en suis
très reconnaissant!*

*Josée a été, pour ainsi dire, enveloppée de l'amour des
anges du Ciel et de la Terre. Les soins et l'amour que sa
bonne infirmière Judith Richard a apportés, ont été d'un
ultime bienfait pour ma petite femme.*

*Que ce soit à travers le soutien immense de ses deux
grandes sœurs ou celui de la générosité grandiose de la
communauté de notre petit village de St-Malo, je veux
dire que sans eux, je n'aurais pas pu vivre tous ces beaux
moments avec Josée et les enfants.*

*Cette expérience, aussi tragique fût-elle, m'a fait réaliser
l'importance de la solidarité. J'ai vécu concrètement le
phénomène de la puissance de l'énergie de l'amour entre
les humains. Dans les épreuves de votre vie, entourez-
vous de gens solides, positifs et qui ont le sens de la
compassion! C'est avec ce soutien d'amour inconditionnel que j'ai réussi à apaiser ma femme pendant ses
longues nuits où la peur s'emparait d'elle. C'est dans
cet amour que j'ai pu la consoler pour ensuite trouver
la force de me retourner vers mes sept adorables enfants
et les apaiser dans leur peur de perdre leur maman
qu'ils adorent tous.*

*Pour avoir cette force, dans ces moments-là, j'ai dû
apprendre à camoufler mes peurs, ma colère et mes
frustrations. J'avais promis à Josée d'être le pilier de notre*

famille. Je me ferais donc un devoir de rester solide jusqu'à ce qu'elle ait pris son envol.

À travers le message de son père, qu'elle avait perdu à l'âge de 15 ans, Josée m'a appris beaucoup de choses sur la vie et la mort.

Bien sûr, comme la plupart des gens, je suis passé par la période du "déni". Pourtant, je sentais venir cette mort, mais je refusais de l'accepter. Je ne pouvais pas comprendre pourquoi elle? Elle, toujours soucieuse d'avoir une saine alimentation.

Pourquoi elle? Une question qui ne trouve pas de réponses dans mon esprit et qui à la fois m'amène à une spiritualité profonde. C'est une question qui me renvoie plutôt à d'autres questions pour mon évolution.

Aujourd'hui, deux mois après son départ très douloureux, je réalise que toutes les personnes qui ont été placées sur notre route avaient un rôle à jouer, une mission à accomplir! Je sais aussi que l'enveloppe corporelle de ma petite femme chérie, n'existe plus. Son corps est décédé, mais son esprit survit et nous enveloppe jour après jour de son amour.

J'ai la conviction que par cette force d'amour, elle vient me donner confiance en moi. Par sa lumière, je réussirai à continuer de transmettre à nos sept merveilles du monde, nos valeurs profondes et notre amour de la vie.

Ses joies, ses bonheurs, ses tristesses, ses rêves, sa maladie et finalement son départ m'ont appris le vrai sens de la vie. Elle m'a rendu meilleur et plus fort!

Maintenant que j'ai partagé avec vous ce témoignage, je me sens prêt à communiquer avec elle, pour lui transmettre ma reconnaissance et mon amour pour tout ce qu'elle nous a donné sur cette Terre et pour toute la Lumière qu'elle continue à nous propager de son Paradis!

Merci ma douce et tendre Josée! Tu vis dans mon cœur et dans le cœur de nos sept enfants... on ne t'oubliera jamais!

Je t'aime xxx
Nous t'aimons pour l'éternité! xxx

Ton bien-aimé, Louison,

Tes enfants...

Jean-Daniel, Carol-Ann, Louis-David, Loïc, Myriam, Alexis et ton bébé Laurie!

Notre amour sera pour toujours un vent derrière tes belles grandes ailes, Maman!

Chapitre 7

Pour la libération de mon fils Julien

Vous avez lu la dédicace de ce livre… *« À Julien et à tous ceux qui comme toi n'ont pas trouvé la force de continuer, ici! À Josée, ta mère, pour son courage et son amour pour toi, grand comme la Mer! »*

Ce témoignage risque de vous bouleverser par la profondeur des deux âmes qui nous le livrent et par le triste phénomène des suicides en trop grand nombre chez nos jeunes, particulièrement ici au Québec.

Julien, décédé le 23 juillet 2005, et sa mère Josée, en phase de guérison dans ce deuil si pénible, nous livrent ce vibrant message d'amour et d'espoir. Elle a trouvé la force et la générosité de nous partager leur histoire.

J'invite tous les parents, qui reconnaîtront en lisant ce récit, des comportements ou états d'âme de leur enfant, à partager avec lui ce chapitre. Josée s'adresse ici aux parents orphelins et je peux vous assurer que Julien trouve à travers ce témoignage, une voix pour se faire entendre auprès des jeunes. Lisez cette maman qui, courageusement, soigne son corps, son âme et son esprit ; percevez entre les lignes le message d'un jeune homme qui n'a pas tenu le coup et qui pourtant aimait la vie et les humains!

Ce qui suit est le texte intégral que Josée m'a fait parvenir. C'est avec beaucoup de respect que je me fais la messagère d'une mère en deuil et d'un fils dans son passage vers une autre vie.

> « Suicide. On ne voit rien du tombeau, des horreurs de la mort, mais on a le désir infini de se mêler à la tristesse attirante des choses. »
> Jules Renard

Julien était un jeune homme plein de richesses. Il était fort intelligent, rempli de talents et il jouissait, en plus, d'une beauté rare. Son charisme touchait tous ceux qui le croisaient. Il avait le don de la communication. Julien avait toujours une opinion sur tout. Son amour pour la lecture en a fait une personne très cultivée pour son jeune âge, c'est d'ailleurs l'image qu'il voulait présenter. À cet égard, il a réussi!

Toutes ces qualités le rendaient très lumineux! Reconnaître ses parties d'ombres devenait pour mon fils une tâche colossale, voire impossible. Laisser paraître sa vulnérabilité, exprimer ses angoisses ou se permettre de se tromper représentait pour Julien un risque énorme : celui de ne pas être aimé, celui d'être pris pour un lâche, sans colonne ni volonté! La barre était haute et personne d'autre que lui ne l'avait autant élevée. Si oui, c'était bien inconscient de notre part.

Son mal de vivre le trahissait pourtant. Au-delà des apparences du jeune homme sûr de lui, il y avait un petit garçon qui manquait terriblement de confiance en lui. Julien ne s'aimait pas sans condition. Comment pouvait-il croire en notre amour sincère, puisqu'il ne se considérait pas comme un être aimable?

Sa peur d'échouer, sa peur de perdre était avant tout une peur de manquer d'amour.

Sa quête de la perfection le paralysait, l'empêchait d'explorer des terres inconnues.

Il a donc développé très jeune un mécanisme de survie : me défier pour évaluer l'amour que je lui portais et il s'est perdu. À défier l'insupportable, c'est le défi lui-même qui est devenu insupportable pour nous deux. Il m'en a fait voir de toutes sortes : manque de respect, manipulations, il m'a donné la vie dure. Julien était constamment anxieux, stressé, ses hauts et ses bas n'avaient rien de banals. Mon fils souffrait de bipolarité.

Ce diagnostic m'a aidée à mieux comprendre ses comportements et j'ai réalisé que je n'étais pas entièrement à la racine de ses difficultés. Je me disais qu'il y avait une solution possible à tous nos problèmes.

Malheureusement, on ne peut forcer un être humain à prendre soin de lui, encore moins à se faire soigner. Julien en avait décidé autrement. Il a préféré tenter de maîtriser la situation. J'aurais pu insister pour qu'il se fasse suivre professionnellement, mais mon instinct de mère me disait que je ne ferais que l'éloigner et je crois sincèrement que je n'avais aucunement ce pouvoir sur sa vie. Il se serait peut-être perdu davantage.

Inconsciemment, nous avons convenu de livrer cette bataille ensemble. J'ai agi au meilleur de ma connaissance pour l'aider à grandir avec beaucoup d'attention, de compréhension et d'amour, mais il souffrait toujours.

Julien était bien renseigné; il faisait des lectures très avancées sur la psychologie. Tout ce qui concernait la complexité de l'être humain l'intéressait. Je voyais dans ces intérêts une façon pour lui de mieux contrôler ses moments de dépression et ainsi éviter de prendre une médication qui aurait pu l'aider. Le prescrit pour les symptômes bipolaires crée un filtre et neutralise le centre des émotions. De là sa réticence, car il voulait bien se libérer de ses "down", mais surtout pas de ses "high".

Mon fils aimait le monde et il était toujours partant pour faire la fête. Malheureusement, avec les années, la consommation est devenue pour lui une invitée indispensable. Je lui répétais sans arrêt que la drogue n'était pas le meilleur médicament. La toxicomanie est un réel problème pour nos jeunes et les drogues d'aujourd'hui les font voyager dans des mondes que notre génération n'a jamais explorés. En tant que mère et avec ma grande ouverture d'esprit, j'ai essayé tant bien que mal de dissuader mon fils d'entrer dans ce monde attirant, mais aussi dangereux qu'irréel. Aussi persuadé fût-il, les effets lui permettaient d'avoir des aptitudes au bonheur que la vie les deux pieds sur Terre ne lui offrait pas.

Parfois la tristesse attirante des choses, c'est de faire l'ultime pas pour enfin voir l'amour qu'on ne sent pas.

Mon fils, le 23 juillet 2005, à l'aube de ses 20 ans, s'est enlevé la vie.

Maintenant, il peut sentir tout l'amour que j'ai eu et que j'ai encore pour lui. Malheureusement, son geste est irrévocable. Le suicide n'est sûrement pas le chemin le plus doux vers la Lumière. Mais je suis convaincue que celle-ci se trouve souvent au plus profond des ténèbres et qu'elle accueille toutes les âmes.

Mon fils Julien a pris beaucoup de place dans notre famille. Les cadeaux de ma vie terrestre sont trois beaux enfants que j'adore. Malgré le fait que Julien éprouvait beaucoup de difficultés à partager sa mère avec son frère Nicolas et sa sœur Sarah, je sais qu'il a toujours eu beaucoup d'affection pour eux et qu'il saura les guider de l'au-delà.

Je vis son absence avec une grande tristesse et, à la fois, je me sens libérée de son mal à l'âme. Le lourd fardeau de mes inquiétudes est tombé. Il me reste maintenant à apprendre à l'aimer dans une autre dimension et, tout comme on apprivoise la naissance d'un enfant, on doit apprivoiser sa mort.

J'ai reçu de nombreux témoignages et plusieurs m'ont demandé si j'avais de la colère et si je pardonnais. Je ne ressens pas de colère. J'ai vu mon fils vivre aux prises avec cette maladie et je sais qu'il a fait ce qu'il a pu pour s'en sortir. Il me reste à accepter que, maintenant, son cheminement est ailleurs. Quant au pardon, je crois sincèrement que dans une relation d'amour entre une mère et son fils, le pardon est à l'image de cet amour : il est inconditionnel.

Nous avions franchi Julien et moi, et ce, un peu avant sa mort, l'étape de la culpabilité et des regrets. Nous avions plutôt réussi à concentrer nos énergies à regarder ensemble tous les autres morceaux de notre vie : ces souvenirs joyeux où nous avons rigolé, voyagé, discuté des grands débats de la société avec conviction et passion. Ces moments-là, vers la fin de sa vie, étaient de plus en plus nombreux ce qui m'avait laissé miroiter l'espoir que la bataille était gagnée. Mais le destin en a décidé autrement.

Il me manque terriblement : sa chaleur, son sourire, sa voix, ses manies, ses demandes, ses surprises, ses colères, ses réflexions et encore et encore… J'ai peine à imaginer que je ne le verrai pas vieillir. J'ai peine à imaginer que nous ne pourrons plus bénéficier de tous ses commentaires sur l'évolution de l'humanité… parce que cette humanité continuera à grandir, elle, avec nous ici, alors que lui grandira dans l'au-delà.

Au début de chaque année, je note sur le calendrier les événements importants comme l'anniversaire des enfants. On ne se doute vraiment jamais de ce que le destin nous réserve.

Cette année, j'aurai à inscrire au 23 juillet 2005 « La mort de Julien ».

C'est le jour où j'ai dû te laisser partir. Il me faudra maintenant continuer à avancer dans mon chemin de vie sans toi. Je ne doute pas que tu seras toujours là pour m'aider comme je l'ai fait ici pour toi pendant ces 20 années. Je m'efforcerai de voir à ce que chaque journée soit le dernier bon souvenir que j'aurai à te raconter le jour où je te retrouverai. Je porterai une attention quotidienne à la plus grande leçon de vie que tu m'as léguée :

LA LIBERTÉ *c'est d'être avec Soi-même dans l'amour inconditionnel.*

Jusqu'à ce que l'on soit à nouveau ensemble, je penserai à toi en me répétant combien je t'ai aimé, combien je t'aime et combien je t'aimerai pour l'éternité.

Ta petite maman d'amour   xxx

Au cours des derniers mois, j'ai donné priorité dans mon agenda, aux parents qui avaient perdu un enfant. Je me suis retrouvée avec six cas de suicide sur dix consultations. Julien était parmi eux!

Ce cri de détresse de nos jeunes m'interpelle, je ne peux rester indifférente! Que ce soit un trouble de santé mentale telle que la bipolarité, des problèmes de consommation de drogues et d'alcool ou un manque d'amour et de soutien dans leur vie qui les poussent à mettre fin prématurément à leur voyage terrestre, le fait est que nos jeunes, trop souvent s'autodétruisent!

Dieu, dans son amour infini, reçoit tous ses enfants de l'autre côté de la vie… j'en suis convaincue. Et de surcroît, notre amour et notre compassion pour ces êtres les aideront à faire ce passage vers la Lumière plus doucement.

Le but de notre incarnation est de venir polir notre âme, d'aimer, de créer et de partager! Notre mission est fort simple : "être heureux". Je ne crois vraiment pas que le suicide soit le chemin le plus doux vers la Lumière. Et je ne suis pas prête à tirer la serviette en disant que de toute façon, on n'y peut rien! Comme le dit si bien Josée, dans son vibrant témoignage : « on ne peut pas forcer quelqu'un à se faire soigner ou à prendre son médicament». Et je crois qu'elle a raison!

Mais, ne sommes-nous pas une société assez évoluée pour étudier le problème et voir ce que nous pouvons faire, concrètement, pour régler ce fléau? Je ne connais pas plus que vous le chemin vers cette solution, mais je vous demande, comme je m'y oblige, d'y réfléchir!

La culpabilité et les remords par rapport à ce que nous n'avons pas fait dans le passé n'apporteront aucune lumière sur la question. Pensons plutôt à ce que nous pouvons faire, ici, maintenant et demain! La solution est devant nous… pas derrière!

Le témoignage de Josée me touche profondément, puisque cette femme s'exprime de façon authentique, telle qu'elle se sent deux mois à peine après la mort de son fils adoré. Lors de notre dernière conversation téléphonique, Josée m'a dit :

« Il faut faire quelque chose Marjolaine, ça n'a pas de sens tout ça… Julien était le troisième dans son groupe d'amis à s'enlever la vie dans une seule et même année! » N'est-ce pas un cri d'alarme?

Je prie le Dr Jacques Voyer, un éminent psychiatre, décédé en avril dernier avec sa conjointe dans un accident d'automobile. Je crois sincèrement qu'ils sont partis ensemble dans la Lumière pour venir nous accompagner et nous aider encore mieux, étant maintenant dépourvus de leurs limites humaines.

En septembre 2003, j'ai rencontré le Dr Voyer dans le cadre d'une conférence qu'il donnait pour la Fondation Jevi, un organisme de prévention au suicide. Sa sensibilité face à ce fléau touchait chaque parent, chaque personne ayant vécu le deuil du suicide d'un être cher.

Nous avions alors eu un bref et bel échange tous les deux et je retiens de cet homme toute sa compassion, son amour des gens et de la vie elle-même. Il aurait eu toutes les raisons du monde de s'enlever la vie, puisqu'il s'est retrouvé quadriplégique à l'âge de 21 ans, suite à un accident de plongeon. Mais il n'en fit rien.

Je sais que de l'au-delà, il continue d'aider les jeunes et qu'il poursuit sa mission. C'est pourquoi je me permets de le prier, en lui demandant de m'envoyer sa Lumière et la force de trouver des outils pour simplement répondre au cri de notre jeunesse, en leur disant : « Nous vous écoutons, vous n'êtes pas seuls… laissez-nous vous aider à vous en sortir! »

En hommage au témoignage de Josée et de la présence de Julien dans ce récit, je vous invite à prier pour son âme et pour tous ceux qui ont choisi cette sortie si violente!

Je croyais avoir terminé ce chapitre, mais voilà que, par courriel, je partageais avec Josée ce commentaire que je fais à la suite de son témoignage. Je lui faisais remarquer que j'avais l'impression de m'emporter lorsque le sujet du suicide chez les jeunes est sur la table. Elle m'a répondu ce qui suit et j'ai entendu dans cette réflexion la voix de ces jeunes en détresse. Il m'a semblé important de le partager avec vous!

Chère Marjolaine,

Je suis moi-même et fréquemment dans des élans de toutes sortes. On veut faire une différence pour toutes ces personnes qui risquent de nous quitter trop tôt, et nous sommes à la recherche d'une sensibilisation douce, efficace et qui ne fait pas peur.

Je crois que la peur est née du fait que l'on a trop longtemps associé le suicide à la folie et à la lâcheté. C'est peut-être la raison pour laquelle les jeunes qui ont des pensées suicidaires n'osent pas en parler ou donner de signes évidents avant de commettre l'irréparable. Je me rappellerai toujours de Julien à 16 ans, dans la salle d'attente du psychiatre, s'écroulant le long du mur en me disant : "Maman, dis-moi que je ne suis pas fou!" Son inquiétude face à la folie était tellement grande et j'ai compris qu'en ce qui concerne les problèmes émotifs, on avait encore beaucoup de chemin à faire.

Si mon fils avait souffert d'un problème de santé physique, il aurait joui de compassion et de sympathie, plutôt que de jugements. Les problèmes émotifs et mentaux sont si peu connus de la plupart des gens.

On peut avoir des pensées suicidaires dans des moments de dépression sans pour autant "être fou". Le jour où les jeunes ne seront plus taxés négativement face à leur désespoir, qui sont très rarement des caprices de bébés gâtés et qu'une écoute positive de leurs proches leur sera offerte, il s'installera une communication avec eux.

De son vivant, j'ai eu beaucoup de discussions, sans préjugés, avec Julien et cela n'a rien changé à son destin.

Ce que j'aimerais qui ressorte de ce message, c'est qu'on doit faire un effort de plus pour comprendre nos jeunes et communiquer avec eux et il se peut que pour certains cela fasse une différence. Mais pour d'autres, comme moi et Julien qui ne gagneront pas la bataille, il y aussi une opportunité de grandir et d'évoluer avec un petit quelque chose de plus à apporter à la VIE .

Merci pour ta présence Marjolaine. J'ai besoin de réfléchir et de commenter ce que je vis. Mes échanges avec toi et ta grandeur d'âme m'aident à traverser le plus long et en même temps le plus riche des fleuves.

Merci !
Josée

Deuxième Partie

Chapitre 8

L'accompagnement

Lorsque nous traversons un passage difficile dans notre vie, rien n'est plus réconfortant que de savoir que nous ne sommes pas seuls. Ce que vous avez lu dans la première partie de ce livre est un miroir dans lequel vous pouvez accueillir votre humanité et vous accepter là où vous êtes dans les étapes de votre deuil. Il vous est possible de franchir ces étapes en sachant que vous n'êtes pas seuls à vivre ce que vous vivez.

Nous avons tous besoin d'être accompagnés de la naissance jusqu'à la mort. La mère qui met l'enfant au monde a besoin du médecin ou de la sage-femme pour l'assister. Le vieillard qui voit venir la mort a besoin qu'on lui tienne la main. L'enfant qui apprend à marcher se sent en sécurité lorsqu'il nous sait derrière lui pour le protéger d'une chute. Nous avons tous besoin des autres, de partage, de tendresse et d'amour.

Dans cette deuxième partie, je vous offre mon accompagnement par les enseignements que la vie m'a donnés jusqu'ici. Je n'ai pas de diplômes pour certifier ma compétence en tant que thérapeute. J'ai gradué de l'école de la vie, tout simplement. Au cours des années, mon approche en tant que médium s'est transformée en une approche thérapeutique de deuil. Je souhaite donc vous offrir quelques chapitres sur les marches à gravir de la mort d'un proche jusqu'à votre renaissance!

Accompagner un mourant requiert beaucoup d'amour et de confiance. Nous nous sentons souvent maladroits, particulièrement lorsqu'il s'agit d'un être à qui nous sommes très attachés. C'est qu'il faut comprendre que nous sommes nous-mêmes dans le passage d'une mort intérieure : c'est la fin d'une relation, le renoncement à certains rêves, la croisée des chemins… c'est le temps de dire adieu.

Dans notre mentalité occidentale, nous n'avons pas tous appris à démystifier la mort, encore moins à s'y préparer. Le sujet demeure encore tabou, quoiqu'il me faille admettre que depuis les dix dernières années une grande ouverture de la conscience collective s'est installée sur notre plan. C'est, je crois, l'heure de l'éveil et du changement de taux vibratoire pour la Terre elle-même et pour l'humanité. Je suis heureuse de participer à cette transformation des niveaux de conscience en partageant mes expériences et mes connaissances avec vous. On dit qu'on enseigne le mieux ce que nous avons le plus grand besoin d'apprendre! Je le crois aussi.

Un jour, je me suis imaginée sur mon lit de mort, voyant défiler devant moi mes enfants, mes petits-enfants, mon amoureux, mes amis, mes frères et sœurs et je me suis fait cette réflexion que je partage avec vous. Elle vous aidera peut-être à accompagner ceux que vous aimez.

Je me suis dit : « La personne qui meurt doit faire le deuil de chaque personne qu'elle aime et qu'elle quitte. Elle doit faire aussi le deuil de son corps physique, de toutes les choses qui lui sont chères qu'elles soient matérielles ou sentimentales. Elle doit finalement faire le deuil d'une vie entière, de toute une incarnation. »

Suite à cette réflexion, j'ai réalisé que ceux qui restent n'ont qu'un deuil à vivre, celui de la personne qui part! Cette prise de conscience m'a donné une vision nouvelle de l'accompagnement. J'ai commencé à voir toute la vie et l'amour qu'il y a dans la mort. J'ai aussi pris conscience du grand privilège que nous offre un mourant lorsqu'il accepte notre accompagnement.

J'ai entendu des scénarios de toutes sortes autour d'un être qui s'apprête à quitter notre plan. Lorsque l'âme cherche la porte de sortie et que l'humain résiste à partir, il y a tout un combat qui s'installe. Et pour ceux qui restent, il est souvent difficile de comprendre les comportements du mourant. Se mêlent ensuite à cette bataille nos propres émotions.

Comment exprimer tous ces sentiments et ces peurs qui nous habitent? Tout le non-dit qui refait surface! Dans ces moments-là, nous réalisons à quel point le manque de communication est un grand malaise dans nos familles et notre entourage.

La plus grande leçon que j'ai tirée au cours des accompagnements que j'ai faits, c'est de savoir ne rien faire pour aider l'autre à partir; savoir simplement **être là**, **écouter** et **aimer**. C'est en fait savoir faire appel en tout temps à la Loi de l'Amour inconditionnel, sans souci de recevoir ni d'être reconnue. C'est plutôt Se reconnaître et s'accueillir dans toute la gamme des émotions que ce passage nous amène à vivre. Beaucoup de gens croient que pour être un bon accompagnateur il faut être fort, qu'il ne faut pas pleurer devant le mourant et qu'il ne faut pas lui dire des choses qui le rendront triste. C'est à mon avis une fausse perception de ce rôle.

Ouvrez grand votre cœur et votre esprit et permettez à l'autre de dire les vraies choses. Rassurez-le tout en l'accueillant dans ses peurs et ses peines. Dites-lui aussi qu'il vous manquera et que votre amour ne mourra jamais. Rassurez-le en lui disant que vous survivrez et plus encore, que vous renaîtrez comme lui dans sa nouvelle vie. Pleurez et riez avec lui!

La force que reçoit un être humain dans le passage de la mort provient directement de la Lumière. Plus il s'en approche, plus elle est grande et puissante. Si vous avez un jour la chance d'accompagner une personne qui s'apprête à vivre une mort consciente, soyez à l'écoute, car les enseignements seront grands et précieux.

J'entends souvent des gens me dire par exemple : « Ma mère est en phase terminale, mais elle ne part pas ; je voudrais qu'elle décroche ; qu'est-ce qu'on peut faire pour qu'elle parte? est-ce quelqu'un qui la retient? etc. »

J'admets que l'agonie peut parfois nous paraître très longue et pénible et je comprends la bonne volonté des gens à vouloir que la souffrance cesse et que la délivrance arrive. Par ailleurs, je crois qu'à travers les étapes de sa « naissance », l'âme connaît le chemin du retour vers la source et que nous n'avons pas le pouvoir de provoquer son décollage, ni de le retarder!

Souvent l'être peut se retenir ici à cause de remords ou de conflits non résolus. Pardonnez même s'il ne vous le demande pas, soit parce qu'il ne peut plus s'exprimer, soit parce que son orgueil l'en empêche, peu importe. Son âme, elle, a besoin de faire la paix avec tous ceux qui ont croisé son chemin. Laissez-moi vous raconter une belle histoire qui témoigne bien de cet enseignement.

Un jour, une dame vient me rencontrer pour me demander de l'aide face à la longue agonie de son père.

> - *Ça n'a pas de bon sens Marjolaine, il devrait être parti depuis des jours selon les médecins et il s'accroche, on ne sait pas à quoi. Il est inconscient, mais on lui parle, on lui dit qu'on l'aime, qu'il peut partir tranquille. Je lui chante même les chansons qu'il aimait tant. Je suis si fatiguée, je n'en peux plus...*

Et elle s'effondre en larmes! Je laisse passer ce moment de découragement et de chagrin. Pendant ce temps-là, je capte la présence de l'âme de son père qui veut s'exprimer. Je n'avais jamais fait ça auparavant mais, sans résistance, je me suis laissée imprégner de son message. J'ai donc demandé à Louise si elle était ouverte à ce que je canalise par l'écriture le message de l'âme de son père. Elle a reçu cette offre comme un cadeau!

Le père s'adressait à tous ses enfants et à sa femme pour qui il s'inquiétait particulièrement. Il faisait amende honorable pour son manque d'attention, sa fermeture d'esprit et

surtout pour ne jamais avoir dit à aucun d'eux « je t'aime ».
Sa lettre était sans équivoque ; Louise reconnaissait parfaitement son papa.

Le lendemain, Louise se présenta à son chevet et lui prit la
main en lui disant :

- *Papa, nous avons reçu ton message et je vais te le lire*
  pour que tu saches qu'il s'est bien rendu et que nous
  t'avons pardonné depuis longtemps tes faiblesses
  humaines. Nous ne retenons que ton amour et
  ta bonté. Maintenant Papa, c'est toi qui dois te pardon-
  ner. La Lumière t'attend et on est tous prêts à te
  laisser monter!

L'homme était toujours inconscient, mais Louise continuait
de s'adresser à son âme. Doucement, elle commença à lire le
message en tenant sa main. Puis, elle sentit que sa main se
resserrait sur la sienne, elle leva les yeux et vit deux grosses
larmes couler doucement sur sa joue. Louise me confia que
ce moment était le plus grand et le plus beau qu'elle avait
vécu de toute sa vie lui. L'énergie de paix et de béatitude
emplissait la chambre pendant qu'elle continuait sereinement sa lecture. Lorsqu'elle eut terminé, elle déposa un
baiser sur le front de son papa qui rendait sereinement son
dernier souffle.

Peut-être qu'en lisant cette histoire vous regretterez de ne
pas avoir su accompagner un de vos proches "comme il
faut" et que vous vous ferez des reproches. N'en faites rien…
accueillez-vous et pardonnez-vous. Vous avez fait ce que vous
avez pu avec ce que vous connaissiez à ce moment-là.

Pour ma part, il m'est arrivé de regretter de ne pas avoir pu accompagner ma mère entre autres. En écrivant *Je vous donne Signe de Vie*, j'ai exprimé à ma mère ce regret et je lui ai dit tout ce que je pourrais faire aujourd'hui pour l'aider à partir. Depuis ce jour, je n'ai plus jamais senti ces remords et j'ai fait la paix avec moi-même. C'est l'étape qui vous attend après avoir accompagné un mourant… celle de vous accompagner vous-même, de vous prendre par la main, de vous pardonner ce que vous n'avez pu faire ou dire et d'accueillir la partie humaine en vous.

Ceux et celles d'entre vous qui avez vécu le choc de la mort subite d'un être cher croyez peut-être que vous êtes privés de ce privilège d'accompagnement. Ce n'est pas tout à fait juste. Vous pouvez accompagner l'âme après sa sortie définitive du corps physique. Puisque le père de Louise pouvait communiquer avec les siens et capter leur message même lorsqu'il était en apparence inconscient, cela suppose qu'il en est de même pour la conscience de l'esprit qui vit toujours dans le monde de l'invisible.

Ouvrez grand votre esprit et parlez avec l'être disparu! Dites-lui tout ce que vous auriez voulu lui dire si vous aviez eu une dernière heure à ses côtés. Effacez toutes rancunes et pardonnez. Faites la paix définitivement. Souhaitez-lui bon voyage! Et si vous le souhaitez, donnez-lui rendez-vous à "l'aéroport céleste"! Faites-le de la même façon que vous l'auriez fait si son corps était encore là ; exprimez lui votre amour inconditionnel.

Mon rituel préféré dans ces moments-là est le suivant. J'allume un lampion devant la photo de l'être cher et lui dis :

« Je t'aime tellement que je ne saurais te retenir. Je t'aime tellement que je te libère de toutes attaches. Mon amour pour toi est si fort qu'il souffle un grand vent dans tes ailes pour t'aider à monter toujours plus haut, toujours plus loin!

Un jour je te rejoindrai et nous valserons ensemble dans la Lumière ; d'ici là, je continue ma route… il me reste beaucoup d'amour à répandre sur cette Terre, ma mission n'est pas terminée et j'ai l'intention de poursuivre mon chemin d'évolution même si ta présence physique me manque terriblement. Je sais que tu es plus vivant que jamais dans mon cœur!

Allez, va te reposer, tu as si bien travaillé! Va rejoindre tous ceux que tu aimes et qui t'attendent. Ils t'ont préparé une grande fête là-bas ; tu es attendu comme un enfant dans la Maison du Père. Prends le temps de bien te rendre et lorsque tu seras bien rentré chez toi, de ta Lumière, éclaire-nous, guide nos pas et montre-nous la voie de la paix sur cette Terre! »

Ensuite, je me permets de verser toutes les larmes de mon corps et de parler à l'être cher tant que j'en ai envie.

Je ferme ce chapitre sur cette pensée que j'aime bien ramener à ma mémoire, question de me souvenir d'où je viens et où je retournerai le jour de mon départ :

« Lorsque je suis née tout le monde riait et moi je pleurais. Lorsque je suis mort tout le monde pleurait et moi je riais! »

Parole d'un sage.

Chapitre 9

Les signes

Les réflexions que j'entends le plus souvent à propos des signes de l'au-delà sont : « Je ne sais pas si c'était vraiment elle ou lui! c'est peut-être mon imagination! crois-tu que c'était vraiment un signe? »

Afin de vous éclairer sur cette question, je demeurerai fidèle à mon approche et vous raconterai une histoire. Mais d'abord, laissez-moi vous expliquer un fait important que j'ai découvert au fil des ans : tous les défunts n'ont pas la même capacité de se manifester. En effet, ceux qui étaient, de leur vivant, de grands communicateurs réussissent en général à bien se faire entendre tandis que les introvertis auront plus de difficultés à capter notre attention. C'est un peu comme si la nature de chaque être ne se métamorphosait pas néces-sairement après la mort.

Cette constatation m'a fait beaucoup réfléchir. Le peu que j'avais appris sur le sort réservé à nos défunts après la mort était totalement remis en question. Les images que j'avais programmées dans mon esprit depuis ma tendre enfance étaient celles où l'on voyait soit des visages brûlant en enfer et qui hurlaient ou des âmes sous formes de lames de feu se promenant dans le ciel. Ce n'est pas surprenant que nous nous posions autant de questions et que nous ayons tous ces doutes par rapport à l'au-delà!

D'autres questions qui reviennent souvent sont : « Est-ce qu'on peut être visité par un esprit maléfique ou de bas niveau? est-il dans les ténèbres? peut-il nous faire du mal? » Pire encore : « un médium m'a dit que j'avais trois entités de collées après moi! » Quelle horreur!

Ma vision est tout autre! D'abord, le classement des niveaux comme étant "haut" ou "bas" n'a pas été inventé par l'au-delà, mais bien par les humains. Selon moi, dans ce monde de conscience et d'amour, il n'y a ni compétition, ni comparaisons. Les êtres de Lumière se gardent bien de s'identifier comme étant des êtres supérieurs à nous, ici-bas! Les mots sont tout aussi importants que les images. Les expressions que j'emploie pour identifier un être qui n'a pas effectué sa transition vers la Lumière, c'est un être *en passage, en voie de guérison* qui a besoin d'amour et de pardon pour s'élever dans la Lumière. À mes yeux, il n'y a pas de différences entre les passages célestes et les passages terrestres. Ne sommes-nous pas ici pour élever notre conscience et pour vivre dans l'amour de soi et de notre prochain qu'il soit plus ou moins conscient que nous. Je crois sincèrement que nous sommes tous égaux aux yeux de l'énergie Divine et que le jugement est probablement l'attitude qui peut nous éloigner le plus de sa Source!

Pour moi, le mot "démon" est synonyme du mot "peur" ! Nos peurs ont le même pouvoir créatif que notre foi… plus nous les alimentons, plus elles prennent formes. D'où l'importance de soigner notre pensée et de maîtriser nos peurs! Quant aux esprits maléfiques et dangereux, je reprendrai une fois de plus la célèbre phrase de Gandhi : « **N'oubliez jamais que les démons n'habitent nulle part qu'en chacun de vous !** »

Revenons donc aux signes, car le lien avec la maîtrise de notre pensée est intéressant. Vous êtes les seuls à pouvoir "ressentir" l'authenticité des signes et surtout à pouvoir choisir d'y croire ou non, de les recevoir ou de les refuser.

J'ai remarqué que beaucoup de gens refusaient inconsciemment un signe et s'enlisaient dans le scepticisme. C'est que, voyez-vous, à partir du moment où ils acceptent ce clin d'œil de l'au-delà, ils doivent admettre qu'ils n'ont pas été abandonnés ; qu'ils ne sont pas des victimes et que oui, il y a une vie pour eux après la mort d'un proche. Ils doivent s'admettre que oui, il y a une guérison possible.

Je vous parle ici en connaissance de cause puisque j'ai longtemps porté le drapeau sur lequel était inscrit « PAUVRE DE MOI! » en croyant que c'était la seule façon pour moi de ramasser quelques miettes d'amour et un peu d'attention. Comme si le fait d'être malheureuse pouvait me rendre plus intéressante que dans le cas contraire!

Il est donc de mon avis que le choix de croire aux signes ou non nous revient. Quoi de plus gratifiant dans la vie que de savoir que nous avons le choix. Et je vous entends déjà me dire : « Oui, mais il y a des gens qui voient des signes partout! » Soit! Parfait pour eux et vous n'êtes pas obligés d'en faire autant! À chacun sa pensée magique ; l'important c'est qu'elle serve à nous rendre la vie plus douce, plus lumineuse.

J'en arrive enfin à vous raconter mon histoire. C'est pour moi une des plus belles manifestations que j'ai reçues de l'au-delà.

En avril 1999, ma sœur et marraine Madelaine est décédée d'un A.C.V. J'arrivais de voyage lorsque mon fils Alexandre m'apprit qu'elle était à l'hôpital et que son état était très critique. Quelques jours plus tard, n'ayant jamais repris conscience, elle mourut. Je l'ai accompagnée du mieux que j'ai pu et j'ai ressenti qu'elle était passée très doucement dans son Paradis, dans son jardin rempli de fleurs. Elle adorait les fleurs et ses préférées étaient les marguerites. Curieusement, je ne savais pas cela mais, intuitivement, c'est l'arrangement que je lui ai offert lors de ses obsèques : une belle corbeille remplie de marguerites. C'est son fils Vincent qui m'a dit au salon mortuaire que sa mère adorait les marguerites. « Je me souviens, me dit-t-il, à ma fête elle allait en cueillir dans le champ pour décorer mon gâteau d'anniversaire. »

Ma sœur avait toujours eu une très grande peur de la mort. Un jour, elle m'avait bien fait rire en me disant d'un ton effrayé : « Ah! Marjo, comment tu fais pour parler de la mort à tous les jours et en plus de parler avec les morts. Ah! j'viendrais folle je pense! » On avait bien ri toutes les deux.

Peu de temps avant son décès, elle avait confié à ma sœur Chantal qu'elle n'avait plus peur de mourir et qu'elle était prête! Pourtant, au moment de cette confidence, elle n'avait que 59 ans et elle était en bonne santé. Rien ne laissait présager cette mort subite. C'est un peu comme si notre âme se préparait sereinement à notre insu! comme si l'accord entre le conscient et l'inconscient se signait sur un autre plan.

Peu de temps après sa mort, je me trouvais dans la région de la Beauce pour y donner une conférence. En me préparant dans ma chambre d'hôtel, j'ai ressenti sa présence, mais sans plus ; une manifestation très subtile sans signe concret, simplement un sentiment qu'elle était là avec moi. Je l'ai remerciée de m'accompagner dans ma mission et je suis partie confiante pour donner ma conférence.

En entrant dans la salle, j'aperçois sur la table un bouquet de fleurs qui m'était destiné. Je m'empresse de trouver la petite carte pour savoir de qui il parvenait, mais en vain : il n'y avait pas de carte. Je défais l'emballage et découvre un magnifique bouquet de marguerites. Nul besoin de vous dire que je pense tout de suite à ma sœur Madelaine. N'empêche que je continue de me demander qui a bien pu avoir cette délicate attention.

La seule identification sur l'emballage était l'autocollant du fleuriste. Croyant que la petite carte s'était perdue au cours de la livraison, je téléphone chez ce dernier pour lui demander s'il pouvait me dire qui avait commandé ces fleurs pour moi. On me répond alors qu'une dame a téléphoné, disant qu'elle était en voyage et qu'elle souhaitait me faire parvenir ces fleurs pour me rappeler qu'elle était de tout cœur avec moi. « Elle n'a pas voulu dire son nom », me dit la dame au bout du fil.

Je raccrochai le combiné du téléphone, ébahie et songeuse ! Après quelques minutes de réflexion, je choisis de croire que ce magnifique clin d'œil venait de ma grande soeur. Il est fort probable que cet envoi me venait de quelqu'un de bien terrestre. L'appel chez le fleuriste ne provenait sûrement pas de l'au-delà! Reste que le hasard divin portait un message clair pour moi. J'ai béni ce moment providentiel et j'ai remercié Madelaine pour ce merveilleux signe.

Pour moi, c'était comme si elle me retournait quelques marguerites de la corbeille que je lui avais offerte pour l'accompagner dans son beau grand voyage! Les plus beaux cadeaux qu'elle m'a laissés sont la présence et l'ouverture d'esprit de son fils Vincent, de sa bru, Isabelle et de ses deux merveilleux petits-enfants Marie et Jérémy.

Je ne retiens qu'une chose de cette histoire : la vie est intelligente et elle utilise des tas de moyens pour nous faire comprendre que l'amour ne meurt pas! À nous d'interpréter ces signes et de nous en servir pour faire croître notre foi!

Si par hasard un courant d'air passe dans votre chambre alors que toutes vos fenêtres sont fermées, que l'odeur du parfum de l'être cher monte à vos narines ou que votre enfant vous dit candidement qu'il a vu son grand-père dans le jardin, ne brisez pas ce moment magique en vous questionnant! Vivez-le pleinement et remerciez tout simplement!

Les manifestations les plus authentiques sont rarement de nature sensationnelle. C'est dans les petites choses simples que s'infiltre la voix de la vérité!

Chapitre 10

Les étapes de guérison

Lorsque la douleur persiste et qu'on ne voit pas la lumière au bout du tunnel, on se demande : « mais quand est-ce que ça va finir? est-ce qu'un jour je vais être libéré de cette souffrance? de l'ennui ? de mes doutes et de mes peurs? » Si seulement on pouvait recevoir une lettre par la poste qui nous annoncerait la bonne nouvelle : « Votre souffrance prendra fin dans 30 jours. Soyez patient, le bonheur est en route ; il vous sera livré dans les jours qui suivent cet avis! »

Malheureusement, la réalité est tout autre. La guérison est, elle aussi, une question de choix et de confiance. L'autodestruction est une autre option. À partir du moment où nous prenons la décision de renaître de la mort d'un être aimé, le processus de guérison est enclenché et les étapes se mettent en place dans le "Grand Plan". Inutile de vous accrocher au passé, votre âme est maintenant avisée de votre volonté de vous en sortir et dans sa grande intelligence, elle tissera tous les liens nécessaires à votre avancement. Mais soyez patient! ça ne se fera pas en trente jours.

À travers mes propres passages de guérison, j'ai réalisé un jour que je guérissais progressivement. Le mort de mon ami René avait fait remonter tous les deuils non résolus. Il me fallut donc descendre jusqu'à la blessure racine et soigner couche après couche les parties de moi qui étaient blessées.

Bien que la plupart d'entre nous souhaiterions passer par-dessus l'épreuve plutôt que de passer à travers, pour que ça aille plus vite, nous devons nous rendre à l'évidence : le temps et les bons soins sont nécessaires à la cicatrisation d'une blessure. Notre âme ne se nourrit pas de "fast food". Elle a besoin de temps pour intégrer sa nourriture spirituelle et pour la digérer. L'intégration demande une période de mutation pour que les cellules de notre corps, de notre âme et de notre esprit se réparent et se renouvellent.

La patience et la confiance vous aideront énormément à vous en sortir, de même que l'énergie de l'amour que votre être cher vous enverra de l'au-delà. Et croyez-moi, c'est une énergie d'une très grande puissance. Vous n'avez même pas à la demander, elle vous est envoyée au moment même où le choc vous frappe.

Lorsque vous recevez la nouvelle du décès d'un proche ou lorsque vous êtes au chevet de l'être cher et qu'il rend l'âme, vous subissez un choc. Votre corps physique reçoit une décharge énergétique très puissante, un peu comme un survoltage. Vous tombez dès lors en "mode de survie" !

La première étape dans le processus de guérison consiste à vous mettre à l'écoute de votre corps et d'en prendre soin. Les malaises que vous ressentez dans les mois qui suivent sont en quelques sortes le langage de votre corps pour vous dire « PRENDS SOIN DE MOI » !

Vous êtes donc appelés à faire un premier pas vers vous-même. L'amour de Soi n'a rien d'égoïste, bien au contraire! Sachez que vous ne pourrez aider personne autour de vous, si vous ne prenez pas soin d'abord de votre état d'âme et de votre de santé! L'être qui est passé de l'autre côté de la vie souhaite ardemment que vous puissiez renaître de ses cendres et avancez dans la lumière, ici sur Terre. Croyez-moi, il n'est pas nécessaire de mourir pour "rejoindre" vos proches disparus, comme il n'est pas nécessaire de mourir pour aller au ciel! Le Paradis est selon moi un état d'âme plutôt qu'un endroit réservé à certains élus après la vie terrestre.

À ce sujet, je cite dans un chapitre de mon dernier ouvrage *Le Petit Livre de Joshua*, le message d'un enfant du paradis qui s'adresse à tous les parents ayant perdu un enfant et qui écrit ce passage « Soyez heureux, c'est le plus cadeau que vous pouvez nous faire .»

Je vous invite donc à faire appel à la loi de l'amour inconditionnel de vous-même et des autres. Faites un pacte avec votre corps physique : le pacte d'honorer votre vie! Donnez-vous le droit d'être heureux à nouveau, même si l'être perdu était quelqu'un de très près de vous.

En réalité, le premier contact qu'il est nécessaire d'établir avant même de tenter de communiquer avec nos défunts, c'est l'alliance avec Soi! Pour ce faire, l'écriture peut vous être d'un grand secours dans le processus de deuil. En écrivant ce qui monte en vous, vous permettez à votre corps émotionnel de s'exprimer. Je vous entretiendrai davantage sur ce sujet dans le prochain chapitre sur le canal intuitif.

Le massage, le balancement énergétique soit en Reiki, ou autres, les bains chauds, les exercices de respirations, la marche, la méditation et la prière sont tout autant d'outils de guérison pour aider votre corps à évacuer la peine, la colère et la peur qui se sont cristallisées dans différentes parties de votre organisme.

Prenez-vous avec amour, bercez-vous et accueillez-vous dans votre humanité ; c'est la première étape de guérison!

Avant d'aller plus loin dans votre lecture, je vous propose un exercice d'intériorisation. Je vous invite à déposer le livre ainsi que votre main droite sur votre cœur et votre main gauche sur la partie de votre corps qui est tendue. Fermez les yeux, inspirez profondément et expirez lentement jusqu'à ce que vous n'ayez plus d'air dans vos poumons. Et respirez à nouveau calmement. Répétez cet exercice trois fois, détendez tous les muscles de votre corps et maintenant, parlez-lui! Faites ce pacte de vie et d'amour avec votre enveloppe corporelle et remerciez-la pour vous permettre de vivre cette incarnation en toute conscience. Installez un dialogue entre votre âme et votre corps. N'oubliez pas que sous l'effet du choc votre âme a en quelques sortes "disjoncté". Lorsque vous avez l'impression de ne pas être là, dans votre corps, c'est qu'en votre âme et conscience, vous êtes à côté. En vous ralliant à votre corps et en lui parlant, vous vous unifiez à la Source.

Plus tard, lorsque vous serez prêt et prête, faites parvenir votre message à l'être cher, faites lui part de votre intention de prendre soin de vous! Demandez-lui du courage, de la patience, de la foi, de la paix intérieure et de l'amour! Selon moi, nos défunts n'ont pas le pouvoir de changer notre vie de l'extérieur, c'est à dire, de régler nos problèmes d'argent, de santé ou de relations affectives ; mais ils peuvent nous aider sur d'autres plans.

Il s'agit là d'un mythe que j'aimerais vous aider à démystifier car ces questions me sont posées régulièrement : « Peut-on demander des faveurs à nos défunts ? Peuvent-ils nous aider à résoudre nos problèmes? » Ma réponse est basée sur mon expérience et sur les nombreux messages de mes Guides de Lumière, puisque je leur ai moi-même posé cette question. Voici ce qu'ils m'ont répondu :

« Tu es Maître de ta vie, le seul créateur de ce que tu attires vers toi ! Voilà une bonne nouvelle ! Ceux que tu aimes et qui sont traversés dans la Lumière n'ont pas de pouvoir sur ta vie. Pas plus qu'ils en avaient sur la Terre. Le seul pouvoir qu'ils ont est celui de t'AIMER. Par cette énergie d'amour, ils peuvent te soutenir dans tes passages difficiles et ainsi t'aider à te faire confiance, à transformer ta vie par ta nouvelle façon de penser. Tu es un être en devenir et toutes les expériences qui te sont données de vivre sont des cadeaux pour ta croissance. Rapatrie tous tes pouvoirs, tu es Maître de ta vie! Ne cherche pas à l'extérieur ce qui est à l'intérieur de toi. Demande des énergies pour trouver des solutions à tes problèmes. Demande de la force, du courage, de la foi, de l'amour! Laisse monter en toi toutes les bénédictions qui te sont envoyées en ce moment même! Souviens-toi toujours que tu es le guérisseur,

> *l'artisan de ton bonheur, le gardien de ta paix!*
> *Laisse ce message atteindre ton âme et remercie! »*

Les trois parties indissociables de l'être humain sont le corps, l'esprit et l'âme. Le corps étant rassuré et soigné, l'esprit est maintenant libre. La somme de vos pensées négatives et positives est votre gage de réussite dans ce chemin de libération. Je vous invite ici à faire le bilan des formes de pensées qui vous habitent. Sans vous juger, observez-vous et écoutez les voix qui vous animent. Il n'est pas rare que l'on vive une perte d'estime de soi après le départ d'un proche. Autant nous pouvons le mettre sur un piédestal, autant nous pouvons nous abaisser. C'est une réaction encore là très humaine. Le chagrin, la perte d'estime de soi, la culpabilité et la colère qui vous envahissent demandent à être, exprimés, transformés et évacués. Beaucoup de gens restent prisonniers de ces formes de pensées destructrices durant des années.

J'aimerais également revenir au fameux piédestal sur lequel nous élevons très souvent nos disparus. Voici un autre mythe à défaire avec vous : « Un mort devient un Dieu! » Afin de justifier notre immense chagrin, nous sentons le besoin de propager cette image de la perfection. C'est un peu comme si nous ne pouvions plus accepter son humanité, ses forces et ses faiblesses. C'est l'illusion qui nous fait croire que nous ne pourrons jamais vivre heureux sans lui, puisqu'il était, selon nous, toute notre vie.

Je vais peut-être vous choquer ou vous décevoir en vous disant que ce n'est pas vrai que l'autre était parfait, que notre relation était parfaite et que la vie avec lui ou elle était parfaite. Cette illusion ne fait que tourner le couteau dans la plaie et ne nous sert à rien. Il est bon de se rappeler les beaux souvenirs de notre vie ensemble et de prendre conscience de notre valeur personnelle autant que de la sienne. Si vous voulez sentir la présence de l'être aimé près de vous, il vous faut d'abord demeurer au même niveau que lui dans votre esprit.

Beaucoup de gens me font cette réflexion : « Je ne le sens pas… il n'est pas avec moi! Je le sens tellement loin, vraiment je crois qu'il nous a abandonnés à notre chagrin! » En fait, la question que je vous pose en retour est : « Comment pouvez-vous sentir la présence d'un être de qui vous vous êtes coupé vous-même dans votre esprit? »

Au tout début, lorsque j'ai commencé à canaliser les messages de mes proches, je n'arrivais pas à sentir la présence de ma mère. Un beau jour, j'y ai renoncé. J'ai lâché prise en me disant qu'elle était probablement réincarnée. À cette époque, lorsque je parlais de ma mère, je parlais d'une sainte femme, de la bonté même, de la pauvre mère misérable et parfaite. Je m'étais coupée de ma mère dès le jour de sa mort. Vingt ans après, elle ne viendrait sûrement pas me donner signe de vie.

Ce n'est que récemment, au cours d'une thérapie de "reprogrammation" que j'ai pu mettre le doigt sur ce blocage. Cette démarche m'a aidée à prendre conscience qu'il y avait une programmation profondément installée dans mon subconscient qui me faisait croire que ma mère ne pouvait pas être là pour moi, puisqu'elle nous avait abandonnés en mourant. Autrement dit, qu'elle puisse être là était trop beau pour être vrai, je ne pouvais y croire. Donc, je ne la sentais pas. Et pourtant, elle était là durant toutes ces années, à veiller sur moi, sur nous tous par sa Lumière et son Amour! Aujourd'hui je ne le crois pas, je le sais. C'est là toute la différence!

Mais pour arriver à cette certitude et cette paix intérieure, j'ai dû traverser l'étape difficile du pardon. Encore là, comment admettre que j'avais quelque chose à pardonner à une femme aussi parfaite.

J'ai dû puiser à la Source pour trouver le courage de descendre ma mère de son piédestal et lui adresser mon message en premier. Le VRAI...celui qui contenait toute la colère que, jusqu'à ce jour-là , j'avais retourné contre moi. Il me fallait alors oser ouvrir la communication, la VRAIE... celle que nous n'avions jamais eu de son vivant. Et c'est ce que je fis, non sans peine. En me permettant d'exprimer les VRAIES choses, je libérais en moi tout ce qui m'avait coupé de ma mère depuis sa mort. J'ouvrais ainsi la porte à mon âme afin qu'elle puisse enfin se manifester dans sa VRAIE nature!

Une fois mon cœur libéré de ce lourd fardeau, je suis arrivée au pardon... le VRAI! À ma mère d'abord, mais surtout à moi-même! Et le message de ma mère n'a pas tardé à arriver. Elle ne pouvait trouver une façon plus lumineuse de me le faire parvenir.

Cécile, que j'appelais ma mère spirituelle, ma petite voisine de 80 ans à l'époque m'apporta un beau jour un texte merveilleux qu'elle avait ramassé chez sa massothérapeute ce matin-là. Sans savoir ce que je vivais, tout naturellement, elle me l'a offert, en me disant qu'elle avait senti que j'en avais besoin. Cécile, qui représentait la mère pour moi, était donc le canal que maman avait choisi du paradis pour me dire que nous étions libérées toutes les deux et qu'elle aussi était arrivée à l'ultime pardon!

Espérant qu'il vous aidera aussi à franchir cette étape importante du pardon, je partage avec vous ce cadeau que j'ai reçu au moment où j'en avais besoin.

Je me pardonne…

Je me pardonne d'être fragile
D'être imprudent, de penser m'être trompé…
D'être sensible à l'amour
De ne pas toujours tout prévoir et tout calculer
D'être douloureux parfois
Et de faire des rêves impossibles
De me retrouver seul et angoissé
De recommencer à aimer la vie…

EN UN MOT …JE ME PARDONNE D'ÊTRE HUMAIN
Texte anonyme

À chaque fois qu'une personne de notre entourage quitte le plan terrestre, notre propre mort nous rappelle qu'elle fait partie de notre vie ; qu'un jour elle se pointera à l'ultime rendez-vous et que nous aurons aussi ce passage de renaissance à vivre ! Plusieurs d'entre nous disent ne pas vouloir y penser ; d'autres, qu'ils en ont une peur bleue, mais très peu de gens peuvent affirmer être prêts en tout temps. Inconsciemment, peut-être pensons-nous qu'être prêt serait un peu comme l'inviter.

Pourtant, les gens qui se disent prêts ont, pour la plupart, frôlé la mort ou sont allés plus loin encore, c'est à dire qu'ils ont vécu une expérience de mort éminente. Ces derniers en reviennent avec un certain regret et ne voient plus la vie de la même façon, leurs valeurs et leur mode de vie sont transformés. On peut voir chez ces personnes une lumière dans leurs yeux et une sérénité enviable. Parfois même, ils rapportent de leur voyage un cadeau, un don de guérison et une idée très claire de leur mission. C'est à croire que la mort, cette inconnue, nous fait peur bien malgré elle. L'ignorance est-elle à la racine de nos souffrances?

Cette réflexion a pour but de donner une voix à votre âme! Lorsque vous aurez créé un espace de guérison dans votre corps physique et que vous aurez permis à votre esprit de s'exprimer et d'évacuer une première couche de sa blessure, vous serez appelés à écouter la petite voix de votre âme, celle qui a besoin de se faire entendre dans toute sa pureté et toute sa lumière.

Par cette voix, vous serez guidés vers la voie de la conscience. Nous avons tous l'opportunité de transformer notre vie chaque fois qu'une épreuve vient déranger un ordre établi. Lorsque nous sommes déstabilisés par les événements, nous devenons soit plus rigides, soit plus souples. Dans la résistance, nous rencontrons encore plus de souffrance, tandis qu'en lâchant prise nous ouvrons très grand notre cœur et élevons notre conscience. C'est à nous de choisir!

Sachez, en terminant, qu'au cours des étapes du deuil, il est normal de se sentir vulnérable et dépressif. La dépression sert, comme toutes les maladies, à la guérison. N'en ayez pas honte, ce serait renier votre humanité. Consultez, lisez et partagez ouvertement ce que vous vivez et SOIGNEZ VOS PENSÉES!

Chapitre 11

Le canal intuitif

Il m'est très souvent demandé si je donne des ateliers de "channeling" ou si j'enseigne l'écriture automatique. J'ai animé un atelier pour aider les gens à ouvrir leur canal et entrer en contact avec l'invisible. Honnêtement, je vous avoue que j'ai trouvé l'expérience difficile et j'en ai conclu que la canalisation ne s'enseigne pas. Il s'agit, à mon avis, d'une expérience qui arrive dans notre vie au moment où tout est en place.

Communiquer avec l'invisible est un art qui s'apprend surtout par la pratique. Je ne dis pas que ces communications sont réservées à certaines personnes qui ont un don. Par contre, je crois qu'il faut avoir certaines prédispositions et le désir sincère de communier avec cette dimension dans le but de participer à l'éveil de la conscience et la libération des âmes qui quittent notre plan.

Chacun d'entre nous possède un canal intuitif, c'est-à-dire qu'une source d'informations sommeille en la plupart des êtres humains. Lorsqu'un événement nous déstabilise et que nous perdons nos points de repère, il se peut que notre canal s'ouvre instantanément. À ce moment-là, la plupart des gens se posent la même question : « Est-ce que je suis en train de devenir fou ou folle? » C'est une question bien légitime, puisque notre mental n'est pas conscient de ce qui se passe. L'information qui nous arrive n'est pas filtrée par la raison, le rationnel ; mais bien par l'intuition, par une petite voix beaucoup plus subtile!

Les sceptiques n'ont tout simplement pas expérimenté ce contact avec l'âme ; ils cherchent des preuves tangibles, scientifiques et à cet égard, ils n'en trouvent point puisque leur canal intuitif est complètement fermé! Et c'est bien comme ça. Ne perdez pas votre temps, votre énergie et surtout votre confiance en vous en essayant de prouver aux autres ce qui est cher à votre cœur.

Au fil des ans, j'ai appris à baliser à l'intérieur de moi des zones sacrées où je ne laisse personne entrer. Personne ne peut venir saboter mon jardin spirituel. Je n'ouvre tout simplement pas la porte. Préservez précieusement ce trésor en vous qu'est celui de la foi!

En 13 ans de relation avec des êtres humains en voie d'évolution, j'ai remarqué que, même dans les moments difficiles, ceux qui ont la foi sont plus heureux que ceux qui ne l'ont pas. Aussi, j'ai observé chez moi un comportement très intéressant. J'ai réalisé qu'à chaque fois que je me manifestais la présence d'une personne qui me remettait en doute et qui siphonnait toute mon énergie pour obtenir des preuves sans arrêt, j'étais moi-même à traverser un passage d'obscurité et de doutes. C'est en accueillant ces périodes d'ombres et de questionnements que j'ai le mieux réussi à les transcender et à préserver mon trésor.

Puisque ce livre traite du deuil, je poursuivrai cet enseignement en vous suggérant d'être prudent et de ne pas vous acharner à créer un contact avec l'au-delà pendant la période où vous vous sentez vulnérable et déstabilisé sur le plan émotionnel.

Je disais donc que pour favoriser l'ouverture de votre canal, la première chose à ne pas faire est de forcer cette ouverture. Laissez le passage se faire et s'élargir de lui-même ; sinon vous risquez de vivre une expérience décevante et très difficile. À ce propos, je souhaite partager avec vous un texte merveilleux que j'ai reçu via Internet et que je relis chaque fois que dans ma vie que j'ai tendance à forcer, à vouloir trop aider ou contrôler!

Ce texte vous aidera sans doute aussi à accepter votre impuissance devant la souffrance des autres. Par ces quelques lignes, il nous est possible de réaliser tout le bien que l'on peut faire en ne faisant rien! Il suffit simplement d'être présent dans le cœur et l'esprit. Je crois fermement que l'intention est bonne lorsque nous voulons à tout prix aider ceux que nous aimons, au point de faire les choses à leur place. Reste que le résultat n'est pas toujours celui que nous aimerions voir et peut être au contraire très néfaste pour ceux que nous tentons d'aider. *La leçon du papillon*, dans sa grande sagesse, vous aidera à comprendre et à changer ce comportement pour le bien de tous!

LA LEÇON DU PAPILLON

Un jour apparut un petit trou dans un cocon ; un homme qui passait à tout hasard s'arrêta de longues heures à observer le papillon, qui s'efforçait de sortir par ce petit trou. Après un long moment, c'était comme si le papillon avait abandonné et le trou demeurait toujours aussi petit.

On aurait dit que le papillon avait fait tout ce qu'il pouvait et qu'il ne pouvait plus rien faire d'autre. Alors l'homme décida d'aider le papillon ; il prit un canif et ouvrit le cocon. Le papillon sortit aussitôt, mais son corps était maigre et engourdi. Ses ailes étaient peu développées et bougeaient à peine.

L'homme continua à observer pensant que, d'un moment à l'autre, les ailes du papillon s'ouvriraient et seraient capables de supporter le corps du papillon pour qu'il prenne son envol.

Il n'en fut rien! Le papillon passa le reste de son existence à se traîner par terre avec son maigre corps et ses ailes rabougries. Jamais il ne put voler.

Ce que l'homme, avec son geste de gentillesse et son intention d'aider, ne comprenait pas, c'est que le passage par le trou étroit du cocon était l'effort nécessaire pour que le papillon puisse transmettre le liquide de son corps à ses ailes de manière à pouvoir voler. C'était le moule à travers lequel la vie le faisait passer pour grandir et se développer.

Parfois, l'effort est exactement ce dont nous avons besoin dans notre vie. Si l'on nous permettait de vivre notre vie sans rencontrer nos obstacles, nous serions limités. Nous ne pourrions pas être aussi forts que nous le sommes. Nous ne pourrions jamais voler.

J'ai demandé la force… Et la vie m'a donné les difficultés pour me rendre fort.
J'ai demandé la sagesse… Et la vie m'a donné des problèmes à résoudre.
J'ai demandé la prospérité… Et la vie m'a donné un cerveau et des muscles pour travailler.
J'ai demandé à pouvoir voler… Et la vie m'a donné des obstacles à surmonter.
J'ai demandé l'amour… Et la vie m'a donné des gens à aider dans leurs problèmes.
J'ai demandé des faveurs… Et la vie m'a donné des potentialités.

Je n'ai rien reçu de ce que j'ai demandé… mais j'ai reçu tout ce dont j'avais besoin.

VIS LA VIE SANS PEUR, AFFRONTE TOUS LES OBSTACLES ET DÉMONTRE QUE TU PEUX LES SURMONTER.

D'un auteur italien

Chapitre 12

La renaissance

Dès l'instant où nous choisissons d'accompagner, de soigner et d'aider notre prochain, quelque soit l'outil que nous utilisons, nous devenons un maillon de plus à la grande chaîne d'entraide et d'amour universelle.

Au tout début de ce livre, je n'avais qu'une histoire en tête à vous raconter. Mais, de jour en jour, j'avançais dans le processus de l'écriture, les gens se présentaient au bon moment, au bon endroit, le cœur ouvert et prêts à partager leur bout de chemin. Nous nous sommes tous pris par la main pour rassembler toutes ces énergies d'espoir et d'amour. Le dernier maillon à cette chaîne d'amour est une "sage-femme spirituelle", qui accompagne depuis 20 ans des gens en "renaissance".

Je cède donc ma place à Marie-Soleil dans ce chapitre pour vous parler de l'ouverture du canal intuitif et de votre renaissance.

« Comme tes mains se joignent pour prier, ton Ciel et ta Terre se joignent pour aimer. »

J'ai entendu ces paroles intérieurement lors d'un accompagnement et elles sont venues directement toucher la profondeur de mon âme. C'était comme un rappel qu'il n'y a pas de réelle distance entre Ciel et Terre. La seule distance qui existe est celle façonnée par nos propres pensées. Quand j'ai vraiment "ouvert les yeux", j'ai réalisé que le ciel était en moi, j'ai découvert les beautés innombrables de mon cœur et celles qui sont dans le cœur de chacun.

Je mets mon canal intuitif au service de la lumière depuis plus de 20 ans. Mon parcours m'a amenée à faire le grand ménage de ma vie. Comme un placard qu'on nettoie de fond en comble, j'y ai mis de la lumière. Je me suis libérée de vieilles blessures du passé et j'ai remis de l'ordre en moi…

Pas à pas, répondant à l'appel incessant de mon cœur, je me suis mise à l'écoute de cette petite voix à l'intérieur qui me guidait vers les bonnes personnes, les bons endroits, "pour m'éclairer" au bon moment.

J'ai consciemment choisi de me transformer et de me retrouver. Cela prend un certain courage pour entreprendre une démarche intérieure, mais j'avais au fond de moi la certitude qu'elle serait créatrice d'un réel changement de vie!

Progressivement, j'ai appris à lâcher prise, à faire confiance. Plus je me suis dégagée de mon passé, plus j'ai retrouvé la clarté. En me confiant à plus grand, je me suis ranimée, découvrant la foi en moi et en la vie, Dieu étant de plus en plus Maître d'œuvre sur ma route. Mon canal de lumière s'est ouvert au fur et à mesure de ma purification. Je ne compte plus les bénédictions, les synchronicités, les grâces que j'ai reçues et toutes celles dont j'ai été témoin.

Le récit que je vais vous partager me donne l'occasion de rendre grâce à la vie et à la bonté cosmique. Mon plus grand souhait est qu'il dépose de l'espoir, de l'amour et de l'éveil dans le cœur de tous ceux qui liront ce qui suit…

La Renaissance

Quand une douce lueur vient nous rejoindre jusqu'au fond de l'abîme…
Quand on ne sait plus, et qu'une main se tend pour nous aider à voir plus clair, à nous remettre debout…

Quand notre cœur s'est givré par les blessures de notre vie et qu'un mot, un geste, un regard rempli de vérité, nous redonnent notre dignité et nous fait sentir que nous sommes vraiment aimés…

Quand rassurés, nous pouvons lâcher prise et oser à nouveau espérer…

Quand nous risquons de nous aventurer sur le chemin de la guérison et soulever le voile de l'inconscience, la lumière du soleil entre en nous et vient nous rejoindre exactement là où nous en avons besoin.

Se peut-il que là où j'ai été blessé, se trouve un trésor caché… une clé pour ouvrir en moi l'écho de ma conscience, un rappel à qui je suis? Se peut-il que lorsque je m'égare, m'éloigne de moi, la vie me rappelle encore une fois?

Nous avons tous de grands rendez-vous. Sur le chemin, ils sont parfois marqués par des pierres, des épines ou des gouffres pour mieux nous rappeler qui nous sommes et pourquoi nous y sommes.

La Renaissance, un processus naturel de la vie

La nature nous enseigne. L'arbre qui perd ses feuilles à l'automne vit le détachement et la mort à une étape. L'hiver l'amène au dénuement. C'est comme si toutes ses forces étaient concentrées à l'intérieur… et puis voilà qu'arrive le printemps avec les chauds rayons de soleil. La vie renaît! Nous sommes tous émerveillés par la force de la vie des premiers bourgeons. La renaissance fait encore une fois son œuvre. Nous voyons apparaître les premières feuilles, les fleurs, et puis, des fruits, prêts à être cueillis.

Dans toutes ces renaissances accompagnées et celles que j'accompagne quotidiennement, je suis témoin de la richesse inouïe de la vie en chacun.

Peu importe l'épreuve, la traversée… lorsque nous nous abandonnons à ce grand processus évolutif de la vie, nous rencontrons toujours un joyau déposé là, au cœur de la souffrance. Dans tous les deuils de la vie, il y a un peu plus de vie cachée à l'intérieur!

Que ce soit une perte d'emploi, une séparation ou un divorce, le processus du vieillissement, la maladie ou la perte d'un être cher, nous avons tous à vivre des deuils.

Ces grands détachements sont comme un courant qui nous ramène vers l'intérieur pour nous reposer sur la berge de notre cœur, là où notre Être nous attend patiemment, le gyrophare allumé pour éveiller notre conscience.

De l'espoir, il y en a! L'humanité s'éveille de plus en plus! Tout est mis en œuvre, particulièrement en ces temps-ci, pour ce grand Éveil de conscience. Nous ne pouvons plus circuler dans la vie, endormis par nos mécanismes inconscients, nous épuisant dans cette course aux faux bonheurs qui fanent l'âme et nous meurtrissent. Chacun est rappelé à lui-même! Chaque Un est appelé à rentrer "à la Maison", invité à retrouver ce grand potentiel divin qui l' habite!

Comme l'a si bien dit Nelson Mandela :

« Notre peur la plus profonde n'est pas que nous ne soyons pas à la hauteur.
Notre peur la plus profonde est que nous sommes puissants au-delà de toute limite. C'est notre propre lumière et non pas notre obscurité qui nous effraie le plus. Nous nous posons la question : "Qui suis-je, moi, pour être brillant, radieux, talentueux et merveilleux? En fait, qui êtes-vous pour ne pas l'être?"

Vous êtes un enfant de Dieu. Vous restreindre, vivre petit ne rend pas service au monde. L'illumination n'est pas de vous rétrécir pour éviter d'insécuriser les autres.
Nous sommes nés pour rendre manifeste la gloire de Dieu qui est en nous.
Elle ne se trouve pas seulement chez quelques élus : elle est en chacun de nous, et au fur et à mesure que nous laissons briller notre propre lumière, nous don-

nons inconsciemment aux autres la permission de faire de même.»

Dans les renaissances, je travaille avec le Souffle, cet ami si précieux. Le souffle… le creuset même de la vie. Nous arrivons sur la Terre dans une grande inspiration et nous quittons sur une expiration. Lorsqu'un événement stressant ou blessant survient dans notre vie, qu'arrive-t-il? Nous arrêtons de respirer! Combien de personnes vivent "en apnée", se coupant ainsi de leur plein potentiel? Tout s'inscrit dans nos corps : les retenues, les blocages et les traumatismes figent notre structure. Le souffle s'est bloqué par les mots non exprimés, la gorge s'est nouée, les émotions se sont comprimées et le cœur s'est refermé.

La renaissance est un processus de grandes respirations conscientes qui permet de retourner à la source même des blocages pour déloger, déverrouiller ces fermetures dans nos corps. Quand nous respirons ainsi, nous permettons au grand souffle de la Vie de circuler en nous à nouveau, telle une rivière d'énergie, sans barrage. Alors, il nous est accessible de retrouver notre potentiel inné ; de nous ouvrir davantage aux possibilités lumineuses et créatrices qui sont enfouies à l'intérieur de nous.

Je crois fermement que toutes les guérisons intérieures sont réalisables! La conscience est un joyau qui nous a été donné pour nous lier au divin et retrouver de plus en plus ce que nous sommes vraiment. La renaissance permet de nous libérer, de nous "reconnecter" intimement à nous-mêmes, de retrouver un sens à notre vie.

Que de grandes expériences touchantes…

J'ai vu des mères et des pères défaits par la perte d'un enfant. En les accompagnant à compléter leur deuil après plus de 10, 20 et même jusqu'à 30 ans, certains ont fait la découverte fracassante qu'ils avaient vécu pendant tout ce temps pour cet enfant et non pour eux-mêmes. Ils ont pu accepter de laisser partir cet enfant dans la lumière, le remerciant profondément et choisir de se réapproprier enfin leur vie!

J'ai vu des femmes qui ont osé plonger en elles pour se dégager de l'inceste, de ces gestes cachés qui les ont endolories et ternies jusqu'au plus profond de l'âme. Ces femmes s'en sont libérées, ont pardonné aux abuseurs, aux violeurs et se sont réapproprié leur corps et leur sexualité. Ces femmes sont redevenues de vraies femmes. Elles ont pu reprendre contact avec leur réelle beauté et leur intuition.

J'ai vu des hommes assez courageux pour oser s'ouvrir et voir ce qui n'allait pas… ce malaise, ce mal être intérieur qui vous tiraille dans chacun de vos silences. Parfois, ils ne pouvaient pas mettre de mots, tellement les émotions s'étaient figées. Loin d'eux-mêmes, ils semblaient froids, non concernés. Mais derrière ce masque se cache souvent la blessure d'un père absent ou bien d'un père castrant, autoritaire… qui a refroidi la vie dans le corps. « C'est ça un homme, mon garçon! »

En se libérant, j'ai vu ces hommes pleurer comme des enfants de s'être sentis mal aimés. Au fil de leur guérison, ils se sont permis de redevenir des êtres sensibles et ouverts et finalement, d'accepter de se laisser toucher. Certains d'entre eux ont pu dire enfin à leurs proches : « Je t'aime, tu es précieux pour moi! »

J'ai aussi été témoin d'enfants perturbés par la séparation de leurs parents vivant dans le chantage émotif. D'autres, terrorisés intérieurement par la peur d'être eux-mêmes et de faire de la peine, par la peur de perdre l'amour pour toujours. Des enfants qui ressentent profondément l'égarement de leur parent. Ils crient par leurs comportements dérangeants, ils crient leur solitude pour que nous les remarquions, pour être entendus dans leur détresse. J'ai vu des étoiles revenir dans leurs yeux quand, rassurés d'amour inconditionnel, ils ont pu enfin s'exprimer librement…

J'ai vu des adolescents se chercher et ne pas se reconnaître dans ce monde d'illusions, de performance. Des ados déçus de la vie et en pleine révolte. Je les ai reçus dans leur colère et leur frustration. Ils se sont mis à mieux respirer, à trouver l'inspiration de Vie, de leur vie! « Pourquoi suis-je venu sur la Terre? Pourquoi suis-je donc ici? »

À un moment où l'autre, nous nous posons toutes ces grandes questions laissées trop souvent sans réponses. J'ai aussi vu ces jeunes adultes après la tempête, se "reconnecter" à eux-mêmes et retrouver leur chemin. Alors avec toute l'espérance du monde, ils nous propulsent en plein visage leur fougue et leur foi en la vie tellement elle est forte et puissante.

Quel enseignement de vie!

J'ai vu des personnes âgées renaître. Après avoir fait leur bilan de vie, certaines m'ont profondément touchée en choisissant de remercier chacun de leurs enfants pour ce qu'ils sont vraiment. Ils n'ont pas attendu au seuil de la mort pour laisser parler leur cœur. Ils se sont permis d'être pleinement vivants dans une qualité de vie et de présence encore plus grande. J'ai vu ces personnes partager avec tant de générosité la récolte de leur vie et se mettre au service de l'humanité, chaque jour, pour améliorer le monde, jusqu'au bout…

J'ai vu des personnes en fin de vie ouvrir leur cœur comme un grand Livre sacré. En partageant leurs blessures, leurs déceptions, elles se sont avancées doucement vers le pardon se réconciliant avec elles-mêmes et avec les autres. Je les ai vues enlever la censure des derniers moments, chercher les mots pour dire ce qui ne se dit pas… poser la main, regarder profondément et laisser une larme au coin des yeux se glisser comme une perle de vérité. Tout près de la mort, souvent les yeux s'ouvrent … Et parfois le mourant offre une grâce au moment de quitter… encore faut-il être là, ne pas avoir peur, ouvrir son cœur pour recevoir.

J'ai vu la mort devenir purificatrice, transformatrice pour le mourant, pour la famille et les proches. Au moment du passage vers l'autre rive, nous pouvons parfois ressentir la grâce flotter comme un ruban de paix, déposé par le mourant lui-même comme une dernière étreinte, comme un dernier baiser.

Chapitre 13

Ma lettre lancée dans le soleil!

À la fin du chapitre deux, je vous ai laissé sur une programmation qui pourrait vous aider à rassembler votre pouvoir de choisir. Je poursuivrai dans ce chapitre-ci dans le même sens. Je le ferai en vous racontant une expérience merveilleuse de ma vie qui m'a amenée droit vers la découverte de mon pouvoir de manifestation ; c'est à dire le pouvoir de se manifester dans notre vie ce dont nous rêvons et mieux encore!

J'ai la conviction profonde que ces pouvoirs sont à la portée de tous. Et si ce livre est dans vos mains aujourd'hui, s'il a attiré votre attention, c'est qu'il contient des enseignements que vous êtes prêts à recevoir et que votre âme se tarde de vous transmettre. Il s'agit d'un cadeau divin avec lequel nous sommes TOUS nés, mais que peu ont appris à développer!

C'était en 1991. Je sortais alors d'un passage très étroit, d'une voie de transformation que je comprenais plus ou moins à ce moment-là. La plupart du temps, lorsque nous traversons un passage difficile, nous avons tendance à croire que le ciel nous est tombé sur la tête et que tout va mal, très mal.

Qu'il s'agisse de la perte d'un être cher, d'un emploi, de notre santé, d'un conjoint dans le processus d'une séparation ou d'argent, nous croyons fermement que nous sommes une victime et que la vie est injuste.

« Ce qui semble aller mal, va pourtant très bien. » J'ai déjà lu cette pensée quelque part et ça m'a fait sourire, une fois sortie de mon pétrin. Et quel pétrin! Deuxième divorce, perte d'emploi, manque à gagner et bien sûr, pour couronner le tout, dépression majeure… tel était le diagnostic du médecin!

Me voilà alors confinée à la maison, plus de job, plus d'auto, plus de conjoint et beaucoup de difficultés à rejoindre les deux bouts. Tout ce qu'il me restait, c'était du temps et mes deux enfants chéris de qui je prenais soin. Quelle richesse!

J'avais donc du temps pour réfléchir, pour marcher, pour me ressourcer. Quel cadeau, quand on pense que j'étais dans la dèche! Vivaient à mes côtés deux garçons merveilleux qui franchissaient à peine le passage de l'adolescence et qui étaient là pour me rappeler qu'ils avaient besoin de mon amour, de ma force et de ma foi! Sans qu'ils le sachent, ils devenaient un peu plus chaque jour ma source de motivation.

Ma mère, que je n'avais pas vraiment vue heureuse et qui était morte à l'aube de mon adolescence, m'avait en quelques sortes abandonnée sans le vouloir. Je n'allais pas laisser tomber mes fils, me laisser mourir et m'apitoyer sur mon sort. J'allais plutôt leur montrer qu'il y a toujours du soleil après la pluie. Sans le savoir, j'allais leur enseigner que le bonheur se crée.

Mais d'après vous, qui enseignait à qui? Je vous laisse répondre!

J'ai donc profité de ce cadeau que la vie m'envoyait et je me suis mise à marcher. Je marchais dix kilomètres par jour. Je vous fais une parenthèse ici pour vous prescrire la marche comme étant le meilleur antidépresseur qu'il soit. Ces longues marches quotidiennes me permettaient de me recentrer à moi-même, d'entendre mes besoins profonds, plutôt que d'essayer d'avoir des réponses à mes attentes : une réelle thérapie, quoi!

Un bon matin, je ressens profondément le goût d'écrire à quelqu'un et de lui donner de mes nouvelles. Mais comme je n'ai pas envie de raconter ma situation de merde, ni de me plaindre, je décide d'écrire à une amie imaginaire. Je l'ai surnommée Louise et je lui ai donné une adresse quelque part en France. J'ai laissé monter à mon esprit les plus belles nouvelles que je pouvais inventer.

Je me souviendrai toujours de cette lettre que j'ai écrite, un matin d'hiver où je n'avais plus rien à perdre. J'avais les trois plus grandes richesses du monde : du temps, de l'amour et de l'espoir!

Chère Louise,

Comment vas-tu? Depuis si longtemps que nous ne nous sommes pas données de nouvelle!

Laisse-moi te raconter toutes les belles choses qui m'arrivent!

D'abord, j'ai rencontré un homme merveilleux qui prend soin de moi et avec qui je vis une relation extraordinaire. Au début, ce fut difficile, car il ne voulait pas s'engager ; mais voilà que nous vivons ensemble depuis deux mois. Il a un fils de cinq ans, Frédéric, qui vit avec nous en garde partagée.

Mes fils vont super bien et nous avons déniché une très belle maison ancestrale (je vivais dans un bloc appartements de 40 logements, que j'appelais mon hôpital *). Tu devrais voir comme c'est beau : une maison bleue, sur une colline avec un magnifique lilas juste devant la véranda!*

Nous sommes à la campagne et sur le terrain voisin, il y a un parc avec des chevaux, comme s'ils étaient dans notre cour. Un rêve réalisé! C'est formidable!

Sur le plan de la carrière, j'ai quitté le monde de la vente et je fais ce que j'ai toujours rêvé faire dans ma vie… j'aide les gens qui ont perdu un être cher à vivre leur deuil et à s'ouvrir sur une vie nouvelle. Je communique avec l'au-delà (j'avais déjà découvert ce don que je n'avais pas encore mis au service des gens *), je donne des conférences et j'écris des livres.*

Et j'en mets et j'en ajoute et je n'arrête plus de fabuler ; sans attente, je le fais comme un jeu. J'étais alors loin de me douter que je jouais au "jeu de la manifestation"!

Le lendemain, je suis allée prendre ma marche quotidienne dans un rang de campagne. J'avais alors apporté avec moi la fameuse lettre destinée à mon amie imaginaire. Puisque je ne pouvais lui poster, je l'ai déchirée en petits morceaux et je l'ai lancée dans le soleil!

La vie dans sa grande intelligence n'a pas tardé à rebondir! Quelques semaines plus tard, je suis à table avec mon petit déjeuner et je lis le journal. Tout à coup, mes yeux s'arrêtent sur les annonces classées et je lis sous la rubrique *maison à louer* : « Maison de campagne, dans le secteur de Beauvoir, 4 chambres à coucher, etc. »

Je me dis qu'il n'est pas question pour moi de louer une maison, alors que j'ai toutes les misères du monde à joindre les deux bouts avec le coût de mon petit appartement. Mais ça me tracasse et je me dis que je ne perds rien d'aller voir.

Le problème est que je n'ai pas de voiture pour me rendre à Beauvoir qui se trouve à plusieurs kilomètres de chez moi. Je franchis ce premier obstacle en téléphonant à mon amie et voisine Josée pour lui demander si elle acceptait de me prêter sa voiture, ce qu'elle fit sans hésiter!

Tout au long de la route vers Beauvoir, je me dis que je suis peut-être un peu malade! que sans doute si elle était la maison dont je rêve, je ne pourrais pas me l'offrir. Mais bon! me dis-je, tout le monde a le droit de rêver! Je fonce et roule vers mon rêve! À peine avais-je pris le dernier virage qui me conduisait vers la maison en question, que mon cœur s'est arrêté de battre pour quelques secondes lorsque je l'ai aperçue là, sur la colline.

Elle était bleue, ornée d'un lilas devant la véranda, avoisinant un parc avec des chevaux! C'était l'hiver, le soleil faisait briller les cristaux de neige au sol, le vent dans les arbres sur la colline chantait une mélodie d'espoir à mes oreilles! Je suis descendue de ma voiture et j'ai pleuré d'émerveillement. J'ai remercié l'Univers sans trop savoir ce qui m'attendait par la suite. J'avais peine à y croire, tout était tellement identique aux nouvelles que j'avais écrites à Louise.

Elle correspondait tellement à la maison de mes rêves, que je me suis dit à un moment donné : « c'est le phénomène inverse qui s'est produit ; cette maison m'attendait peut-être et elle s'est annoncée en m'inspirant cette lettre ». Cela semblait trop beau pour être vrai. Et du coup, c'était comme si la vie me disait que j'avais raison de lui faire confiance. Le prix de la maison? la distance de la ville? mes fils qui sont ados? leurs amis? l'école ? Autant de questions qui virevoltent dans mon esprit, mais une petite voix insistante ne cesse de me dire : « Tu es ici chez toi! »

J'applique! Je téléphone au propriétaire et j'obtiens une visite des lieux! Une maison ancestrale, un environnement paisible ; tout est parfait pour moi, mes besoins et ceux de mes enfants! Je la veux, je suis prête à prendre le risque et tous les inconvénients qui viendront avec. Je me rappelle ma lettre à Louise, en France! Je réalise que je me suis créé de toutes pièces un rêve, mais qu'il ne me reste plus qu'à faire confiance à la vie et à aller de l'avant.

Le propriétaire, inquiet de ma situation financière et de monoparentale, essaie de me décourager un peu : « Tu sais Marjolaine, une femme ici toute seule, l'hiver surtout, c'est n'est pas évident… etc. Je ne te promets rien, me dit-il, nous avons un couple qui est très intéressé. Je te donnerai une réponse dimanche. » Nous sommes alors vendredi.

Ma confiance en cette manifestation est si grande que le lendemain, je vais acheter la peinture et le papier peint pour rafraîchir l'intérieur. Je n'en parle à personne, question de ne pas subir l'influence négative des gens qui m'entourent.

Le samedi soir je me couche et je prie! « Mon Dieu, je suis consciente de ma folie à poser des gestes aussi prématurés. Mais de grâce, faites en sorte que le meilleur pour moi et mes garçons se réalise. »

Le lendemain, Jean, le propriétaire m'appelle pour me demander si je pouvais me rendre à la maison en après-midi :
  - Ma femme et moi aimerions te rencontrer, me dit-il.

Ma bonne amie Josée me prête à nouveau sa voiture et me voilà en route pour recevoir le verdict! Sans attendre, Jean et sa femme me disent :
  - Nous avons toutes les raisons du monde pour refuser de te louer cette maison. Mais quelque chose nous dit qu'elle est pour toi et que tu arriveras à te débrouiller ici. Nous te faisons confiance, voici les clés et le bail à signer.

Je flottais en même temps que je paniquais littéralement! Je suis revenue chez moi pour annoncer à mes fils que nous allions vivre à la campagne, dans une belle grande maison juste pour nous trois. Nous étions fous de joie!

Mon amoureux, Luc, ne comprenait pas trop cette décision un peu folle que j'avais prise. Lui qui n'était toujours pas engagé dans notre relation, je risquais de le perdre aussi. Pourtant trois mois plus tard, il venait vivre avec nous et son fils Frédéric en garde partagée. C'était exactement comme je l'avais écrit à ma chère amie Louise.

Mon amie Josée fut la première personne à qui j'ai donné un message de son père par l'écriture automatique. Sa confiance en cette mission pour moi dépassait toutes les bornes. Elle est venue m'aider à rénover ma nouvelle demeure et elle m'a aussi ouvert la porte sur d'autres consultations.

Quelques temps après, je me suis décidée à ouvrir mon canal et le mettre au service des gens en deuil. Ce matin-là, je me suis rendue à la petite chapelle de Beauvoir et j'ai pris engagement avec Dieu de me mettre au service de la Lumière et servir de messagère pour les âmes de l'au-delà.

Je me souviendrai toujours de ce jour-là! En sortant de la chapelle, j'aperçois sur le mur une affiche sur laquelle était inscrite cette phrase : « Jésus t'appelle, le monde t'attend. » Je venais de signer mon contrat avec l'univers pour ma mission!

Nous avons vécu heureux dans cette demeure pendant trois ans. Sur ma véranda, devant mon lilas, j'y ai donné mes premières consultations. La colline derrière la maison m'offrait un endroit privilégié pour mes méditations et mes prières.

Je n'ai plus écrit à Louise depuis ce jour-là, mais j'ai continué à lancer mes souhaits et mes rêves dans le soleil et, très souvent, ils se sont réalisés. Et pour ceux qui ne se sont pas réalisés, j'ai compris chaque fois que quelque chose de meilleur était au rendez-vous!

Notre pouvoir de se manifester nos rêves est illimité! Il dépend seulement de la confiance et de l'intention profonde que nous y mettons. De tout cœur, je souhaite que ce récit vous propulse dans vos élans et vers votre mission!

Oh! Et n'oubliez pas de rendre grâce… même à l'avance! La gratitude est source d'abondance et de réussite dans nos vies!

Mon Credo

Je crois en la beauté des fleurs
        Qui remplissent mes yeux et mes narines de bonheur
Je crois en l'agilité des oiseaux
        Qui me rappellent ma liberté
Je crois en la force de l'arbre
        Qui m'offre son épaule pour m'appuyer et déposer mon fardeau
Je crois en l'énergie purificatrice de l'eau
        Qui nettoie chaque cellule de mon corps
Je crois à la toute-puissance des rayons du soleil
        Qui éclaire mon esprit et m'aide à voir la lumière en toutes choses
Je crois en mes larmes
        Qui lave mon âme et allège mon coeur
Je crois en la Terre Mère
        Qui m'offre son berceau pour venir y polir mon âme
Je crois au sourire de l'enfant
        Qui me tend les bras
Je crois à ses pleurs
        Qui m'invitent à l'envelopper de mon amour
Je crois au cri de l'adolescent, de l'adolescente
        Qui m'invite à l'accompagner dans ce passage difficile
Je crois en leur sens de l'humour
        Qui m'invite à me prendre moins au sérieux
Je crois à l'ardeur des jeunes gens
        Qui osent encore croire à la famille et à un bonheur simple
Je crois au courage des femmes
        Qui osent changer leur monde intérieur pour que le monde change
Je crois à l'ouverture des hommes
        Qui choisissent d'accueillir l'enfant en eux et le soigner
Je crois en la bonté des vieillards
        Qui m'enseigne la patience et la compassion
Je crois en leurs yeux égarés
        Qui trop souvent voient venir le bout du chemin, seuls

Je crois en la puissance guérissante de la compassion!
Je crois en un monde de paix!
Je crois en l'intelligence de la Vie!
Je crois en Dieu en Moi, en Dieu en Toi
Je crois en l'énergie créatrice de cet Amour infini
Je crois en une vie après la mort
Une vie pour toi, une vie pour moi
Dans l'unité de l'Esprit de Lumière!

Les livres qui m'ont accompagnée

Grandir... Aimer, perdre et grandir
par Jean Monbourquette
Aux Éditions Novalis
Ainsi que tous les autres ouvrages de cet auteur

La mort est un nouveau soleil!
par Dr Élizabeth Kubbler-Ross
Chez Presses Pocket
Ainsi que tous les autres ouvrages de cette auteure

La Reconnexion
par le Dr Éric Pearl
Aux Éditions Ariane

La Vie des Maîtres
par Baird T Spalding
Éditions Robert Laffont

Le Jeu de la Vie
par Florence Shinn
Aux Éditions du Roseau

Le livre Tibétain de la Vie et de la Mort
par Sogyal Rinpoché
Aux Éditions de la Table Ronde

Le Sens de la Vie, Réincarnation et Liberté
par le Dalaï Lama
Aux Éditions J'ai Lu

Ma vie au paradis!
par Anthony Borgias
Aux Éditions du Roseau

On ne meurt pas
par France Gauthier
Chez Libre Expression

Que Freud me pardonne!
par Dr Jacques Voyer, psychiatre
Chez Libre Expression

Table des matières

Achevé d'imprimer au Canada
en octobre 2005
sur les presses des Imprimeries Transcontinental inc.